KB055132

세상에서 가장 쉬운 과학 수업

원자모형

세상에서 가장 쉬운 과학 수업
원자모형

초판 1쇄 인쇄 2023년 11월 6일
초판 1쇄 발행 2023년 11월 20일

지은이 정완상
펴낸이 이성림
펴낸곳 성림북스

책임편집 이양이
디자인 쏘울기획

출판등록 2014년 9월 3일 제25100-2014-000054호
주소 서울시 은평구 연서로3길 12-8, 502
대표전화 02-356-5762
팩스 02-356-5769
이메일 sunglimonebooks@naver.com

ISBN 979-11-93357-20-0 03400

* 책값은 뒤표지에 있습니다.

노벨상 수상자들의 **오리지널 논문**으로 배우는 과학

세상에서 가장 쉬운 과학 수업

원자모형

정완상 지음

고대 연금술부터 20세기 보어의 원자모형까지
이론과 실험을 일체시킨 노벨상 수상 과학자들의 열정 속으로

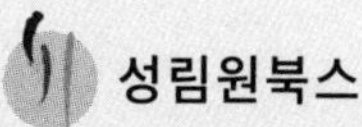

성림원북스

CONTENTS

두 번째 만남

뉴턴의 원운동 / 057

세 번째 만남

톰슨의 원자모형 / 109

네 번째 만남

러더퍼드의 원자모형 / 133

다섯 번째 만남

보어의 원자모형 / 155

만남에 덧붙여 / 183

과학을 처음 공부할 때 이런 책이 있었다면 얼마나 좋았을까

남순건(경희대학교 이과대학 물리학과 교수 및 전 부총장)

21세기를 20여 년 지낸 이 시점에서 세상은 또 엄청난 변화를 맞이하리라는 생각이 듭니다. 100년 전 찾아왔던 양자역학은 반도체, 레이저 등을 위시하여 나노의 세계를 인간이 이해하도록 하였고, 120년 전 아인슈타인에 의해 밝혀진 시간과 공간의 원리인 상대성이론은 이 광대한 우주가 어떤 모습으로 만들어져 왔고 앞으로 어떻게 진화할 것인가를 알게 해주었습니다. 게다가 우리가 사용하는 모든 에너지의 근원인 태양에너지를 핵융합을 통해 지구상에서 구현하려는 노력도 상대론에서 나오는 그 유명한 질량-에너지 공식이 있기에 조만간 성과가 있을 것이라 기대하게 되었습니다.

앞으로 올 22세기에는 어떤 세상이 될지 매우 궁금합니다. 특히 인공지능의 한계가 과연 무엇일지, 또한 생로병사와 관련된 생명의 신비가 밝혀져 인간 사회를 어떻게 바꿀지, 우주에서는 어떤 신비로움이 기다리고 있는지, 우리는 불확실성이 가득한 미래를 향해 달려가고 있습니다. 이러한 불확실한 미래를 들여다보는 유리구슬의 역할을 하는 것이 바로 과학적 원리들입니다.

지난 백여 년 간의 과학에서의 엄청난 발전들은 세상의 원리를 꿰뚫어 보았던 과학자들의 통찰을 통해 우리에게 알려졌습니다. 이런 과학 발전의 영웅들의 생생한 숨결을 직접 느끼려면 그들이 썼던 논문들을 경험해 보는 것이 좋습니다. 그런데 어느 순간 일반인과 과학을 배우는 학생들은 물론 그 분야에서 연구를 하는 과학자들마저 이런 숨결을 직접 경험하지 못하고 이를 소화해서 정리해 놓은 교과서나 서적들을 통해서만 접하고 있습니다. 창의적인 생각의 흐름을 직접 접하는 것은 그런 생각을 했던 과학자들의 어깨 위에서 더 멀리 바라보고 새로운 발견을 하고자 하는 사람들에게 매우 중요합니다.

저자인 정완상 교수가 새로운 시도로서 이러한 숨결을 우리에게 전해주려 한다고 하여 그의 30년 지기인 저는 매우 기뻤습니다. 그는 대학원생 때부터 당시 혁명기를 지나면서 폭발적인 발전을 하고 있던 끈 이론을 위시한 이론 물리 분야에서 가장 많은 논문을 썼던 사람입니다. 그리고 그러한 에너지가 일반인들과 과학도들을 위한 그의 수많은 서적들을 통해 이미 잘 알려져 있습니다. 저자는 이번에 아주 새로운 시도를 하고 있고 이는 어쩌면 우리에게 꼭 필요했던 것일 수 있습니다. 대화체로 과학의 역사와 배경을 매우 재미있게 설명하고, 그 배경 뒤에 나왔던 과학의 영웅들의 오리지널 논문들을 풀어간 것입니다. 과학사를 들려주는 책들은 많이 있으나 이처럼 일반인과 과학도의 입장에서 질문하고 이해하는 생각의 흐름을 따라 설명한 책은 없습니다. 게다가 이런 준비를 마친 후에 아인슈타인 등의 영웅들의 논문을 원래의 방식과 표기를 통해 설명하는 부분은 오랫동안 과학을 연구해온 과학자에게도 도움을 줍니다.

이 책을 읽는 독자들은 복 받은 분들일 것이 분명합니다. 제가 과학을 처음 공부할 때 이런 책이 있었다면 얼마나 좋았을까 하는 생각이 듭니다. 정완상 교수는 이제 새로운 형태의 시리즈를 시작하고 있습니다. 독보적인 필력과 독자에게 다가가는 그의 친밀성이 이 시리즈를 통해 재미있고 유익한 과학으로 전해지길 바랍니다. 그리하여 과학을 멀리하는 21세기의 한국인들에게 과학에 대한 붐이 일기를 기대합니다. 22세기를 준비해야 하는 우리에게는 이런 붐이 꼭 있어야 하기 때문입니다.

재미와 과학, 두 마리 토끼를 모두 잡은 책

김태경(제주과학고등학교 물리 교사)

미국의 물리학자 리처드 파인먼은 인류 멸망 직전 후대에 한마디를 남길 수 있다면 "세상 모든 것은 원자로 되어 있다."라고 하는 것이라고 합니다. 그만큼 원자에 대한 이해는 물리학의 기초이자 매우 중요한 주제일 것입니다. 파인먼이 말한 것처럼 원자는 우리가 사는 세상의 기본 요소이며 그 모양과 성질은 수많은 과학자가 밝혀냈습니다. 이 책은 원자모형을 주제로 원자 개념이 등장한 고대 그리스 시대부터 양자역학의 태동을 알리는 닐스 보어의 원자모형에 이르기까지 원자모형의 변천사를 다룹니다.

아무리 중요한 주제라도 과학을 가르칠 때면 어디까지 설명할 것인가 하는 문제에 맞닥뜨립니다. 과학 이론만을 설명하면 지루해지기 쉽고, 반대로 흥미를 끌어내기 위해 단편적으로 설명하거나 비유를 사용하면 잘못된 지식을 심어줄 수 있기 때문에 조심스럽습니다. 또 이름만 들어도 왠지 숨이 턱 막혀오는 물리학은 조금만 어려워져도 책장을 덮어버리곤 합니다. 그런 면에서 이 책은 흥미와 과학 두 마리 토끼를 모두 잡았다고 할 수 있습니다.

이 책은 최초 원자 개념이 등장한 고대 그리스 시대부터 출발하여 보어의 원자모형까지 정교수와 물리군이 대화하는 형식으로 구성되어 있습니다. 대화로 풀어준 덕분에 부담 없이 술술 읽을 수 있으며 마치 강의를 듣는 듯한 몰입감도 느낄 수 있습니다. 물리군은 중간중간 독자가 궁금할 만한 질문을 하며 독자의 가려운 부분을 시원하게 긁어주기도 합니다. 또 인물에 관한 에피소드나 역사적 배경에 관한 설명도 풍부해 이 분야에 배경 지식이 없는 이들도 쉽게 내용을 이해할 수 있습니다. 이 책은 흥미를 끌어내고 쉽게 설명하는 데 그치지 않습니다. 톰슨의 원자모형을 설명하기 위해 뉴턴 역학을 설명하고 있으며 벡터의 개념, 연산 설명과 삼각함수의 역사에 대해서도 다루고 있습니다.

1장부터 5장은 원자설의 등장 과정부터 과학 이론을 설명하는 오리지널 논문까지 과학적 근거를 잘 설명하고 있습니다. 또한 부록으로 톰슨과 러더퍼드, 보어의 영문 논문도 첨부해 별도의 전공 서적을 뒤지는 노력 없이도 이 책 한 권으로 충분한 과학적 지식을 얻을 수 있습니다.

원자모형 수업을 할 때 모형의 변천사만큼 중요한 것이 시대 과학자들이 어떤 모형을 제안하면서 한계에 부딪혔고, 이후 과학자들이 어떻게 발전시켜 나갔는지 풀어내는 일입니다. 이 책은 톰슨과 러더퍼드 원자모형의 한계점을 서사로 드러내면서 독자의 흥미를 유발하기에 충분하며 역사 속 과학자들의 과학 탐구 정신을 배울 수 있습니다. 과학을 가르치는 교사로서 왜 그동안 이런 책이 없었는지 아쉬우면서도 동시에 감사합니다. 그만큼 많은 이들에게 도움이 될 것이라 기대합니다.

끝으로 이 책을 만인을 위한 책으로 소개하고 싶습니다. 원자모형을 배우고 싶은 사람은 원자의 기본 개념과 원자모형의 변화 과정을 이해하기 쉬우며 가르치는 사람은 원자모형의 역사적 배경과 이론을 오리지널 논문으로 배울 수 있습니다.

과학에 관심이 있는 사람 모두에게 이 책이 간접적으로나마 과학 탐구 과정을 경험하고 호기심을 자극하는 촉진제 역할을 할 것입니다. 원자모형을 배우는 지식적인 차원을 넘어 과학적 태도를 기를 수 있다는 점에서도 이 책을 많은 사람에게 권하고 싶습니다.

천재 과학자들의 오리지널 논문을 이해하게 되길 바라며

저는 그동안 초등학생을 위한 과학, 수학 도서를 써왔습니다. 초등학생을 위한 책을 쓰면서 즐거움도 많았지만, 한편으로 수학을 사용하지 못하는 점이 아쉬웠습니다. 그래서 일반인 대상의 과학책을 시리즈로 기획하며 고등학교 수학이 기억나는 사람이라면 누구나 보고 이해할 수 있는 내용의 책을 쓰고 싶었습니다. 또 제가 외국인들과 대화하며 놀랐던 것은 그들은 과학을 무척 재미있게 배웠다는 점입니다. 그래서인지 과학 지식도 상당히 높고 실제로 그 나라에서 노벨과학상도 많이 배출되었습니다. 그러나 우리나라는 아직 노벨과학상 수상자가 나오지 않았고, 대부분의 사람이 과학은 어려운 것이라는 인식이 있는 것 같아 안타까운 마음이 들 때가 많습니다. 과학이야말로 우리 실생활과 밀접하게 연결되어 있어서 아주 쉽고 재미있게 배울 수 있는 데 말입니다.

그동안 일반인을 대상으로 하는 과학 책을 살펴보면 수식은 어렵다고 생각해서 피해가는 경향이 있었다고 생각합니다. 오히려 과학이야말로 수식을 피해가지 말고 이해해야 더 이론이 재미있어질 것입니다.

이 책은 시리즈입니다. 앞으로 이 책으로 많은 사람이 과학에 관심을 갖고 과학 수준도 높아지는 계기가 되었으면 좋겠습니다. 특히 선행학습을 하는 과학 영재나 일반 학생들에게 물리 논문을 소개해 주고 싶은 과학 선생님, 양자 관련 소자나 양자 암호시스템과 같은 일에 종사하는 직장인, 우주 이론을 통해 '인터스텔라'와 같은 영화를 만들고 싶어 하는 영화제작자 등 과학에 관심 있는 사람이라면 이 시리즈가 도움이 될 것입니다.

이 책에서는 20세기의 원자모형에 대한 세 가지 논문(1904년 톰슨, 1911년 러더퍼드, 1913년 보어)을 다루었습니다. 또한 1904년 톰슨의 논문과 거의 같은 시기에 발표된 일본인 최초의 물리학자 나가오카의 논문을 언급했으며 동시에 이론과 실험 결과를 일치시키기 위한 보어의 노력도 엿볼 수 있습니다.

원자모형을 이해하려면 돌턴의 원자설까지 역사적 흐름을 이해해야 하므로 고대의 기본원소 이론부터 돌턴의 원자설을 다루었습니다. 원자모형을 이해하기 위해 삼각함수는 역사 중심으로 다시 한 번 살펴보았습니다. 또한 원자모형이 전자의 원운동과 관련이 있으므로 뉴턴이 어떻게 원운동을 다루었는지도 알아보았습니다.

마지막으로 이 책을 쓰기 위해 필요한 프랑스 논문의 번역을 도와준 아내에게 감사를 전합니다. 수식이 많아 출판사들이 꺼릴 것 같은 원고를 용기를 내어 출간 결정을 해 준 성림원북스의 이성림 사장님과 직원분들에게도 고맙습니다. 그리고 이 책을 쓸 수 있도록 멋진 논문을 만든 닐스 보어 박사님에게도 감사를 드립니다.

진주에서 정완상 교수

세상을 놀라게 한 원자모형 이론의 탄생

_오거 보어 박사 깜짝 인터뷰

실험과 일치하는 이론을 만든 닐스 보어

기자 오늘은 닐스 보어 박사님의 원자모형 논문(1913년)을 이야기하기 전에 닐스 보어 박사님의 아들이면서 1975년 원자핵 연구로 노벨 물리학상을 수상한 오거 보어 박사님과 이야기를 나누어 보겠습니다. 오거 보어 박사님 나와 주셔서 고맙습니다.

오거 보어 제가 가장 존경하는 과학자이자 아버지의 논문에 관한 내용이라 만사를 제치고 달려왔습니다.

기자 닐스 보어 박사님을 올바른 원자모형을 처음 알아낸 물리학자라고 하는 데 그 이유는 무엇일까요?

오거 보어 아버지가 원자모형에 관한 논문을 발표하기 전에 나온 원자모형은 나가오카 모형, 톰슨 모형, 러더퍼드 모형입니다. 이들 원자모형은 모두 고전역학과 고전전자기학에 의존한 모형이었습니다. 아버지는 이들 모형들이 가열된 원자에서 방출되는 선스펙트럼에 대한 발머의 공식을 만족하지 않는 것에 주목했습니다. 실제 실험 결과인 발머의 공식과 어울리는 완벽한 원자모형을 만들었기 때문에 아버지를 현대적 원자모형에 대한 창시자로 지칭하는 것 같습니다.

기자 그렇군요.

닐스 보어의 양자론

기자 닐스 보어 박사님의 양자론과 플랑크 박사님의 1900년 양자론은 다른가요?

오거 보어 양자는 불연속적인 에너지의 기묘한 입자입니다. 양자의 종류는 정말 많죠. 플랑크 박사님이 제안한 것은 빛이 양자로 이루어져 있다는 것을 의미합니다. 이 양자를 '광자'라고 부르지요. 아버지는 전자의 경우도 양자의 한 종류가 아닐까 하는 의문을 품고, 원자핵 주위를 도는 전자가 갖는 에너지가 불연속적일 것이라는 가정을 했습니다. 아버지는 이 가정과 발머-리드베르그의 공식을 비교하여 전자 역시 불연속적인 에너지를 갖는 양자의 한 종류임을 처음 알아냈습니다. 광자가 정수에 비례하는 에너지를 갖는 것과 다르게 전자가 갖는 에너지의 크기는 정수의 제곱에 반비례한다는 것을 처음 알아냈고, 이를 이용해 원자모형을 만들었습니다.

아버지가 만든 원자모형(보어모형)은 이전의 원자모형들이 가진 문제점을 완전히 해결했습니다. 이 과정에서 아버지는 전자가 있을 수 있는 궤도가 불연속적이며 이 불연속적인 궤도에서 양자도약을 통해 다른 궤도로 이동하면서 광자의 방출이나 흡수가 일어나는 것을 알아냈습니다.

닐스 보어의 1913년 논문

기자 닐스 보어 박사님의 1913년 논문에는 어떤 내용이 담겨 있나요?

오거 보어 아버지는 톰슨과 러더퍼드의 논문을 열심히 공부했습니다. 그리고 발머-리드베르그 공식을 살펴보았지요. 톰슨과 러더퍼드의 공식이 발머-리드베르그 공식이 말하는 수소에서 방출되는 선스펙트럼의 신비를 설명하지 못하자 아버지는 이 문제를 해결하기 위해 노력했습니다. 그 뒤 2년 만에 이 문제를 깔끔하게 해결하면서 아버지는 전자도 양자의 한 종류이며 광자처럼 불연속적인 에너지를 가진다는 것을 알아냈습니다. 광자의 에너지가 양자수라고 부르는 어떤 정수에 비례하는 반면, 전자의 에너지는 양자수의 제곱에 반비례한다는 것을 처음 밝혔습니다.

기자 빛에 이어 전자도 양자가 되었군요.

오거 보어 그렇습니다. 아버지는 수소에서 나오는 선스펙트럼을 설명하기 위해 과감한 가설을 세웠습니다. 그것은 바로 전자가 가질 수 있는 각운동량이 어떤 최소의 각운동량의 정수배로 되어야만 한다는 가설이었습니다. 이 가설을 각운동량 양자화 가설이라고 부르는데 이 가설을 통해 아버지는 원자핵 주위의 전자가 원운동을 할 수 있는 궤도가 불연속적이라는 것을 처음 알아냈습니다. 게다가 궤도의 전자가 광자를 방출하면서 다른 궤도로 양자도약하는 현상을 알아냈습니다. 이때 방출된 광자들이 수소의 선스펙트럼을 만드는 것을 알아낸 것입니다. 이것이 아버지 논문의 주요 내용입니다.

기자 그렇군요.

닐스 보어의 논문이 일으킨 파장

기자 닐스 보어 박사님의 1913년 논문은 어떤 변화를 가지고 왔나요?

오거 보어 이 논문으로 눈에 보이지 않는 원자의 내부 구조를 밝힐 수 있게 되었습니다. 아버지의 이론은 나중에 후배 물리학자인 드브로이, 하이젠베르크, 보른, 요르단, 바일, 슈뢰딩거, 디랙 등에 의해 양자역학으로 발전하게 됩니다. 아버지는 양자역학이라는 새로운 물리학의 창시자인 셈이죠. 아버지의 궤도 모형은 주기율표를 설명할 수 있기 때문에 화학 발전에도 큰 기여를 하게 되었습니다. 또한 아버지의 양자도약 개념은 훗날 양자정보이론에서 양자이동의 시작점이 되었습니다. 즉, 아버지의 이론은 양자역학 시대의 시작을 알리는 논문입니다.

기자 엄청나게 중요한 역할을 했군요. 닐스 보어 박사님의 후배 사랑이 엄청났다고 하는데요?

오거 보어 아버지는 평생을 양자를 위해 사신 분입니다. 노벨상을 받은 후 코펜하겐 대학에 이론물리연구소를 만들어 유럽의 수많은 젊은 인재를 모았습니다. 이 연구소는 훗날 닐스 보어 연구소로 이름이 바뀌게 되는데 이 연구소에 몰려든 후배 물리학자들이 양자역학 연구로 줄줄이 노벨상을 타게 되었습니다. 대표적인 사람들이 하이젠베르크, 보른, 슈뢰딩거, 디랙과 같은 물리학자입니다.

기자 후학에 관심이 많으셨군요.

오거 보어 네. 아버지는 양자역학이라는 새로운 물리학의 시대를 열기 위해 후배 물리학자들을 전격 지원했습니다. 그래서 양자역학 이론이 짧은 시간 안에 완성되었습니다.

기자 그렇군요. 지금까지 닐스 보어 박사님의 원자모형 논문에 대해 오거 보어 박사님의 이야기를 들어 보았습니다.

첫 번째 만남

돌턴의 원자설이 나오기까지

탈레스의 기본원소 _ 탐구심으로 전쟁을 멈추다

정교수 이번에는 닐스 보어의 원자모형에 대해 다룰 예정이네. 이 논문을 이해하려면 물리학의 여러 분야의 역사를 살펴봐야 하네. 먼저 현대의 원자모형이 나오기 전 과거의 사람들은 원자를 어떻게 생각했는지 알아보겠네.

물리군 과거의 이론을 통해서 현재의 이론을 살펴보는 것이군요.

정교수 그렇네. 먼저 고대 그리스 시대로 떠나 보겠네.

물리군 고대라면 어느 시대인가요?

정교수 기원전 시대를 말하네. 기원전은 영어로는 'Before Christ'의 줄임말인 BC라고 쓰네. 즉 '그리스도 이전'이란 의미네.

물리군 기원은 그리스도의 탄생을 뜻하는 말이군요.

정교수 기원전의 반대는 기원후라고 부르고 'AD(Anno Domini)'라

디오니시우스 엑시구스(Dionysius Exiguus, 470~544)

고 쓰네. '주님의 해'라는 뜻으로 이를 처음 제정한 사람은 로마의 수도원장 디오니시우스 엑시구스였네.

스키티아에서 태어난 엑시구스는 525년 예수의 탄생 연도를 AD 1년으로 삼았다. 당시에는 0이 발견되기 전이었기 때문에 기원을 0년부터가 아닌 1년부터 시작했다. 그래서 21세기는 2000년이 아닌 2001년에 시작되었다.

물리군 기원전 1년 다음이 기원후 1년이 되는군요.

정교수 그렇네. 이제 기원전 그리스 시대 과학자들의 이야기를 시작하겠네. 탈레스는 이 세상의 모든 사물이 공통의 원소로 이루어져 있다고 믿었고, 그것을 '기본원소'라고 불렀다네.

탈레스는 고대 그리스의 밀레투스(현재의 터키 남서부의 도시)에서 태어났다. 탈레스는 어릴 때부터 부유한 상인이었던 아버지를 따라 여러 나라를 돌아보며 많은 경험을 쌓았다. 특히 날씨에 관심이 많았는데 그해 올리브가 대풍작이 될 것이라는 것도 예상했다.

탈레스(hales of Miletus, BC 624~548)

올리브를 짜기 위해서는 착유기가 필요했는데 그는 대풍작이 예상되는 만큼

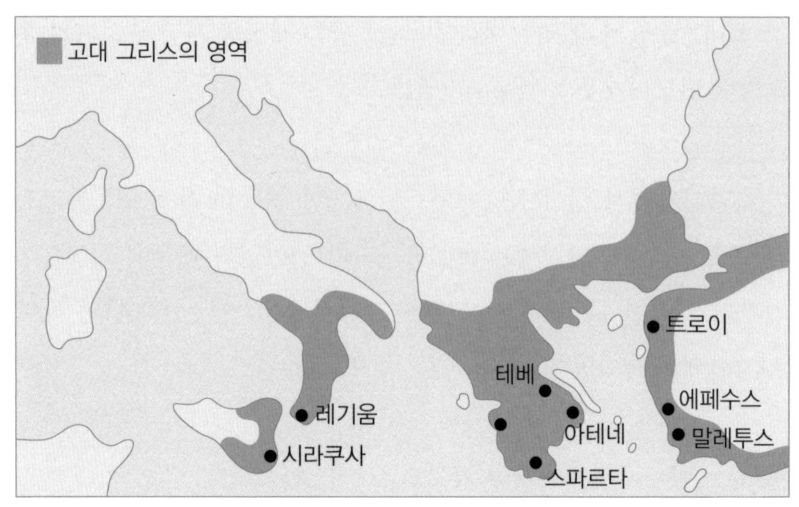

미리 착유기를 최대한 빌려 놓기도 했다. 그의 예상대로 그해 올리브 농작은 대풍작이었고, 많은 상인이 착유기를 구하지 못해 탈레스에게 착유기를 비싼 값에 빌려야만 했다.

탈레스는 부자가 된 뒤 사업을 그만두고 공부를 하기 시작했다. 기원전 585년으로 리디아와 메디아는 오랜 전쟁을 치루고 있었다. 백성들은 하루빨리 전쟁이 끝나기를 바라고 있었다.

착유기

탈레스는 이 전쟁을 백성을 위해서라도 빨리 끝내야 한다고 생각하며 태양과 달의 운동을 연구했다. 이때 태양과 지구 사이에 달이 들어와 태양이 가려질 때 일식이 일어난다는 것을 알아냈고 과거에

일어난 기록들도 살펴보았다. 마침내 그해 5월 28일에도 일식이 일어난다는 사실을 알아냈다.

탈레스는 두 나라의 왕에게 전쟁을 멈추지 않으면 5월 28일에 세상이 대낮에도 밤처럼 어두워질 것이라고 경고했다. 하지만 두 왕은 그의 말을 믿지 않은 채 계속 전쟁을 했다. 드디어 5월 28일이 되었고 탈레스의 경고대로 하늘이 어두워지더니 곧 태양이 사라졌다. 일식이 일어나자 두 나라의 군인들은 두려움에 떨었고 두 왕은 탈레스의 예언을 믿게 되어 더 이상 전쟁을 지속하면 신의 노여움을 살 것이라고 생각하여 전쟁을 멈췄다.

물리군 대단한 일을 했네요.

정교수 탈레스는 고대 그리스의 7명의 현인 중의 한 사람으로 수학과 과학에서 많은 업적을 남겼네. 탈레스는 이오니아 철학 학교를 세워 많은 제자를 양성했지. 그중 유명한 제자로는 아낙시만드로스와 아낙시메네스가 있네. 이오니아 철학 학교에서는 주로 철학, 수학, 천문학을 가르쳤네. 탈레스는 이집트와 바빌로니아를 여행하며 천문학과 기하학과 과학에 대한 지식을 쌓았네.

물리군 탈레스가 생각한 기본원소는 무엇인가요?

정교수 좋은 질문이네. 그가 생각한 기본원소는 물이었다네. 탈레스가 살았던 밀레토스 지역은 지중해 연안으로 따뜻한 기온 때문에 대부분의 사람이 농사를 지으며 살았지. 탈레스는 농사를 짓는데 물이 얼마나 중요한지를 어릴 때부터 알았네.

물리군 그래서 만물이 물로 이루어져 있다고 생각했나요?

정교수 탈레스는 생명을 유지하는 데 가장 필수로 필요한 물질이 물이라고 생각했네.

탈레스는 다음과 같은 근거로 기본원소를 물이라고 생각했다.

"물질은 제각기 서로 다른 모양을 하고 있다. 물렁물렁한 물질도 있고 단단한 물질도 있고 연기처럼 하늘로 날아 올라가는 물질도 있다. 물질이 이렇게 서로 다른 모양을 가지고 있는 것은 물이 세 가지의 모습을 가지고 있기 때문이다. 물은 추워지면 얼음처럼 딱딱한 성질을 갖고 평상시에는 냇물처럼 흐르는 성질을 갖고 뜨거워지면 수증기가 되어 위로 올라가는 성질을 지니고 있다. 그러므로 물질이 어떤 모양의 물로 이루어져 있는가에 따라 물질의 모양이 달라지는 것이다."

– 탈레스

물리군 물의 세 가지 상태가 만물을 구성하는 이론이네요.

정교수 그렇네.

물리군 물이 아닌 다른 기본원소를 생각한 과학자도 있나요?

정교수 물론이네. 탈레스의 제자인 아낙시만드로스는 탈레스의 생각과 달랐네.

아낙시만드로스는 기본원소를 무한한 물질이라고 생각했다. 그는 이것을 '아페이론'이라고 불렀는데 모든 물질이 이 이론에서 생성되고 다시 소멸되어 아페이론으로 돌아간다고 생각했다. 또 아낙시만드로스는 자연현상을 합리적으로 설명했다. 천둥은 바람이 갈라져서 생긴 현상이며 번개는 구름이 갈라져서 생긴 현상이라고 했다.

아낙시만드로스
(Anaximandros, BC 610~546)

물리군 재미있네요.

정교수 아낙시메네스 역시 스승 탈레스와 다르게 기본원소를 공기라고 생각했네.

아낙시메네스
(Anaximenes, BC 586~526)

아낙시메네스는 공기가 모여 있느냐 퍼져 있느냐에 따라 물질이 다른 모양을 만든다고 생각했다. 즉, 공기가 희박하면 불이 되고 공기가 압축되면 바람, 구름, 물, 흙, 돌처럼 점점 단단해진다고 주장했다.

물리군 다른 기본원소를 주장한 철학자도 있나요?

정교수 물론이네. 헤라클레이토스는 기본원소를 불이라고 주장했네. 그러나 그에 대해서는 알려진 것이 거의 없네.

헤라클레이토스는 우주는 언제나 같은 모습이며 신이 창조하지 않았다고 생각했다. 그는 불에서 모든 사물이 생겨나며 영원한 순환을

헤라이클레이토스
(Heraclitus of Ephesus, BC 500년경으로 추정)

거쳐 다시 불로 돌아간다고 생각했다. 또한 영혼은 불과 물의 혼합물이며 불은 영혼의 고귀한 부분이며 물은 천한 부분이라고 생각했다. 세속적인 욕망을 억제하는 것은 영혼의 불을 정화하는 고귀한 추구로 여기기도 했다.

물리군　상당히 철학적이네요.

정교수　그렇네.

4원소설 _ 물질을 이루는 물, 불, 공기, 흙

정교수　지금까지 나온 기본원소들은 뭔가?

물리군　물, 공기, 아페이론, 불이에요.

정교수　아페이론 대신에 흙을 넣어 기본원소가 4가지 종류가 있다고 처음 주장한 사람은 시칠리아의 엠페도클레스네. 엠페도클레스는 물시계를 최초로 발명했지. 그는 물시계의 원뿔모양 용기에 물을 채우고 물이 모두 빠져나갈 때까지 걸린 시간을 통해 시간으로 시간을 확인하는 원리를 이용했네.

엠페도클레스(Empedocles, BC 494~444 추정)

엠페도클레스가 태어나고 죽은 날짜는 정확히 알려지지 않았다. 엠페도클레스는 세상의 모든 물질이 4개의 기본원소인 물, 불, 공기, 흙으로 이루어져 있고 이 기본원소를 '뿌리'라고 불렀다. 그래서 그의 이론을 '네 뿌리 이론' 이라고도 부른다.

물질은 4가지 기본원소들이 합쳐지거나 분리되어 만들어진다. 이들 원소는 사랑의 힘(Philotes)으로 합쳐지고 투쟁의 힘(Neikos)으로 분리된다. 태초에 우주에는 4가지 기본 원소들을 결합시키는 사랑이 지배적이지만 우주가 진화하면서 투쟁의 힘이 강해져 이들 기본원소들을 서로 밀치게 만들었다. 물질이 변하는 이유는 이 4가지 기본원소의 비율이 달라지기 때문이다. 예를 들어 사람의 뼈는 불, 물, 흙이 4 : 2 : 2의 비로 이루어져있고 피와 살은 불, 공기, 물, 흙이 1 : 1 : 1 : 1의 비로 이루어져 있는데 이 비율이 달라지면 사람은 병에 걸리게 된다.

– 엠페도클레스

물리군 4개의 기본원소는 어떤 모양인가요?

정교수 이 문제를 생각한 사람이 바로 소크라테스의 제자이자 철학자로 유명한 플라톤이라네.

플라톤(Platon, BC 427~347)

기하학적인 아름다움을 좋아했던 플라톤은 엠페도클레스의 4원소를 가장 간단한 입체 모형으로 설명했다. 그는 4가지 기본원소를 정다면체라고 생각했는데 불은 정사면체, 흙은 정육면체, 공기는 정팔면체, 물은 정이십면체의 모양으로 생각했다.

불은 정사면체의 모양이므로 가장 작고 날카로워 잘 움직인다. 물, 불, 공기는 모든 면이 삼각형이지만 흙은 모든 면이 정사각형이다. 그러므로 흙은 4개의 기본 원소 중 가장 안정적인 형태이다. 정다면체에는 앞에서 이야기한 4가지 이외에 하나가 더 있는데 바로 정십이면체이다. 그러므로 엠페도클레스가 이야기한 4개의 기본원소 외에 정십이면체의 모양을 가진 제5원소가 있어야 한다. 하지만 제5원소가 무엇인지는 알려지지 않았다. 플라톤은 4원소들의 변환에 대해 다음과 같이 주장했다.

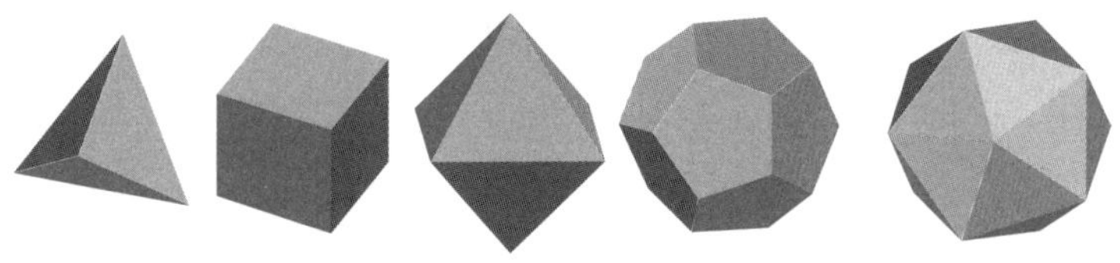

플라톤의 4원소와 제5원소

모든 면이 정삼각형으로 이루어져 있는 물은 정삼각형으로 이루어져 있는 공기나 불로 쉽게 변할 수 있다. 하지만 정사각형으로 이루어져 있는 흙으로는 변할 수 없다. 흙은 다른 원소들로 쉽게 바뀌지 않는 가장 안정된 원소이다.

– 플라톤

물리군 원소를 정다면체에 대응시킨 것이 흥미로워요.

정교수 엠페도클레스의 4원소설을 가장 발전시킨 사람은 고대 그리스의 아리스토텔레스이네.

아리스토텔레스
(Aristotle, BC 384~322)

아리스토텔레스는 기원전 384년 마케도니아 왕의 주치의 아들로 태어났다. 어려서부터 학문의 즐거움에 빠진 아리스토텔레스는 젊은 시절 아테네로 가서 플라톤의 제자가 되었다. 플라톤이 아테네에 세운 아카데미는 젊은 학자들이 모여서 토론과 논쟁을 하는 곳이었다. 그는 아테네에서 플라톤의 총애를 받으며 철학과 자연과학을 20년 동안 탐구했다. 이때 그는 4원소의 개념을 처음으로 접했으며 플라톤이 죽자 그는 아테네를 떠나 마케도니아에서 훗날 알렉산더 대왕이 되는 알렉산더 왕자의 개인 교사가 되었다.

알렉산더 대왕이 즉위하면서 아리스토텔레스는 아테네에 최초의 학교인 리세움을 세웠다. 이 학교에서 아리스토텔레스는 4원소설에 대한 본격적인 연구를 시작했다.

그는 엠페도클레스의 이론보다는 스승인 플라톤의 주장을 따랐다. 그 역시 4개의 원소가 불변이 아니라 서로 바뀔 수 있다고 생각했다. 그는 4원소가 가진 성질에 주목했다. 그가 내세운 4개의 성질은 차가움, 뜨거움, 축축함, 건조함이었는데 원소는 차가움과 뜨거움 중에서 하나의 성질을 가질 수 있고 축축함과 건조함 중에서 하나의 성질을 가질 수 있다고 생각했다. 그는 물은 차갑고 축축하며 흙은 건조하고

리세움(Lyceum)

축축하고, 불은 뜨겁고 건조하며 공기는 뜨겁고 축축하다고 주장했다. 또한 원소가 가진 성질이 변하면 그 원소는 다른 원소로 바뀔 수 있다고 믿었다. 예를 들어 불의 건조함이 축축함으로 변하면 불이 공기로 바뀌는 것이다.

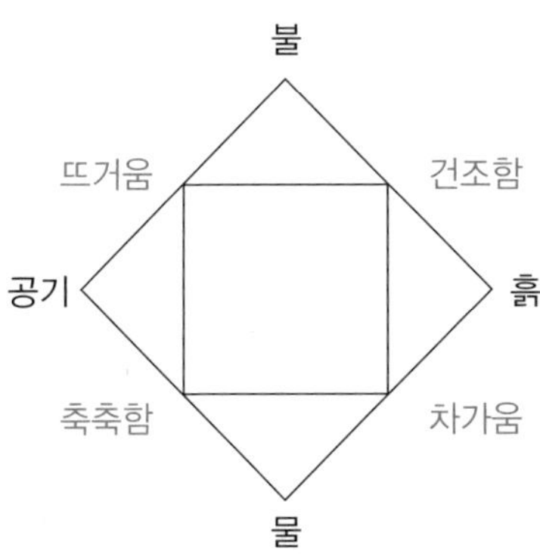

아리스토텔레스는 물체의 운동을 4원소설을 이용해서 해석했다. 즉, 물체는 자신을 이루는 데 가장 많이 포함된 원소로 되돌아가려고 하는데 이것이 자발적인 운동이며 이와 반대 방향으로 가는 운동은 스스로 일어나지 않으므로 강제적 운동이라고 불렀다. 그는 흙과 물의 근원은 땅이고 불과 공기의 근원은 하늘이라고 생각했다. 그러므로 연기를 피우면 연기가 위로 올라가는 것은 연기 속에 하늘인 불과 공기 원소가 많기 때문이며, 물이나 돌이 땅으로 떨어지는 것은 땅인 원소가 많기 때문이라고 생각했다.

아리스토텔레스는 4개의 원소 외에 제5원소가 있다고 생각했다.

제5원소는 달이나 태양과 같은 천체를 이루는 원소로 영원한 운동을 하며 4원소로 이루어진 물질은 일시적인 운동을 한다고 생각했다. 달이나 태양이 지구 주위를 도는 것은 제5원소로 이루어져 있기 때문이라고 주장했다.

물리군 아리스토텔레스가 4원소에 대해 체계적인 이론을 세웠군요.

정교수 그렇다네.

고대 원자론 _더 이상 쪼갤 수 없는 작은 입자

정교수 고대 그리스의 과학자들이 원소설만 주장한 것은 아니었네.

물리군 원소설 말고 다른 이론이 있었다는 말인가요?

정교수 아낙사고라스는 4개의 기본원소로 모든 물질이 이루어져 있

아낙사고라스(Anaxagoras, BC 500~428)

다고 생각하지 않고, 눈에 보이지 않는 작은 알갱이들로 이루어졌다고 주장한 최초의 사람이라네.

아낙사고라스는 '누스(Nus)'라고 부르는 눈에 보이지 않는 아주 작은 알갱이들로 사물이 이루어져 있다고 주장했다. 그는 무한히 많은 누스를 도입하여 물질의 변화를 설명했다. 그는 모든 물질은 원래부터 있었던 것으로 순수한 것은 함께 있었고, 모든 것은 모든 것의 부분이기 때문에 순수한 물질이란 존재하지 않는다고 주장했다. 아낙사고라스의 생각은 곧바로 레우키포스에게 이어졌다.

레우키포스(Leucippus, BC 5세기경)

레우키포스는 우주는 진공과 충만으로 나눌 수 있으며 진공이란 눈에 보이는 물질이 없는 부분이며 충만은 눈에 보이는 물질이 있는 부분이라고 주장했다.

레우키포스가 원자론을 처음 주장한 것으로 알려져 있으나 그에 대한 기록은 거의 남아 있는 것이 없고 원자론에 대한 기록은 거의 대

데모크리토스(Democritus, BC 460 ~370)

부분 데모크리토스에 의한 내용만 남아 있어 데모크리토스를 원자론의 창시자로 부른다.

데모크리토스는 우주는 더 이상 나눌 수 없는 원자로 이루어져 있다고 주장했다. 그는 사람과 동식물, 무생물뿐만 아니라 신이나 악마도 원자로 이루어져 있다고 주장했다.

데모크리토스는 다음과 같이 생각했다.

1. 물질은 한없이 자르면 더 자를 수 없는 원자(atom)라고 부르는 가장 작은 입자에 도달한다.
2. 원자는 영원히 변하지 않는다.
3. 모든 물질 속에서 원자의 모양, 크기와 배열은 달라진다.

원자를 뜻하는 'atom'이라는 영어 단어의 그리스어는 $\alpha\tau o\mu o\sigma$이다. 이 단어는 부정을 뜻하는 α와 분할을 뜻하는 $\tau o\mu o\sigma$의 합성어이므로 원자란 '분할되지 않는 것'이라는 뜻이다. 데모크리토스는 원자설로 모든 사물의 이치를 설명하려고 했다.

예를 들어 음식의 맛을 평가할 때에도 그 음식을 이루는 원자의 크기와 모양에 의해 결정된다는 것이다. 그는 여기서 한 단계 더 나아가 사람의 영혼의 문제도 원자설로 설명하려고 하였지만 그것은 다소 무리가 있었다.

데모크리토스는 원자는 여러 가지 모양으로 되어 있고 그 크기와 무게도 각각 다르다고 생각했다. 그는 원자는 너무 작아 눈으로 볼 수 없지만 원자들의 충돌에 의해 생긴 소용돌이 현상이 원자가 있다는 증거라고 생각했다. 그는 원자가 진공 속을 돌아다니며 여러 가지 종류의 운동을 하기 때문에 원자로 구성된 사물이 다양한 운동 모습을 보인다고 생각했다. 그는 맛이나 온도, 색이나 단단함과 같은 사물의 성질이 4원소의 비율 때문이 아니라 어떤 원자들이 어떻게 뭉쳐 있는지에 따라 결정된다고 믿었다. 그러나 데모크리토스의 원자론은 아리스토텔레스와 그의 지지자들에 의해 철저하게 거부당했다. 아리스토텔레스의 이론이 2,000년 동안 지배하는 동안 원자론은 소외되다가 19세기 돌턴의 등장으로 다시 부활되었다.

마법과 과학 사이의 연금술 _ 돌멩이도 금이 되나요?

물리군 4원소설과 연금술은 어떤 관계가 있나요?

정교수 연금술은 납이나 철과 같이 흔한 금속을 이용하여 금이나 은과 같은 귀금속을 만드는 기술이네.

연금술은 영어로 'alchemy'라고 부르는 데 여기서 al은 정관사 'the'

를 뜻하고 chemy는 화학을 뜻하는 영단어 Chemistry로 사용된다. 즉, 연금술과 가장 깊은 관계를 가진 자연과학은 화학이다. 연금술로 금을 만들려고 시도했던 사람들을 연금술사라고 부르는데 그들이 바로 최초의 화학자이다.

물리군 화학의 뿌리인 셈이네요.

정교수 최초의 실험 과학자들은 연금술사였으며 이들의 목표는 구리나 철과 같은 금속으로 금을 만드는 일이었네.

연금술은 아리스토텔레스의 4원소설을 기초로 하여 기원전 322년 이집트의 나일강 상류에 세워진 알렉산드리아에서 처음 본격적으로 시작되었다. 알렉산드리아가 건립되기 수세기 전부터 이집트는 보석을 만드는 기술을 가지고 있었다. 기원전 1352년 파라오 투탕카멘의 묘에서 발견된 많은 보석을 보면 알 수 있다. 이집트의 기술자들은 금의 모조품을 만들고 물체의 표면에 얇은 금박을 입히는 것에도 능숙했다.

연금술사들은 4원소가 가장 완벽한 비율로 섞여 있는 금속이 금이라고 생각했다. 그래서 불완전한 비율로 4원소가 섞여 있는 금속에서 4원소의 비율을 바꾸면 금을 만들 수 있다고 생

각했다.

아리스토텔레스는 금속이 근본적으로 4원소로 이루어져 있지만 주성분은 2개의 증기, 즉 흙과 물의 증기로 이루어져 있다고 생각했다. 연금술사들은 불의 증기는 유황이고 물의 증기는 수은이며 이들이 다른 비율로 섞여서 서로 다른 금속을 만든다고 생각했다. 결국 아리스토텔레스의 4원소설의 계승자와 이집트의 기술자들이 알렉산드리아에서 연금술 실험을 활발하게 진행했다.

연금술사들은 유황과 수은을 모든 금속의 시작이라고 생각했다. 그리고 이 두 증기가 결합하여 '현자의 돌'이 만들어진다고 여겼다. 현자의 돌은 붉거나 흰 가루로, 천한 금속을 금으로 바뀌게 하며 동시에 만병통치약이자 영원히 죽지 않게 하는 영생불사약이기도 했다. 연금술사들은 현자의 돌을 얻기 위해 계속해서 실험했다.

유황과 수은이 화학 결합을 했을 때 얻는 것은 황화수은이다. 황화수은은 물이나 산, 염기에 녹지 않고 왕수에만 녹는다. 황화수은은 안정적인 물질이기 때문에 300도 이상 높은 온도에서 산소와 반응시키

유황과 수은을 상징하는 두 사람이 양쪽 끝에 서 있고, 그 위로는 태양과 달이 있다. 유황과 수은이 결합하면 금이 만들어지며 결합하지 않으면 6개의 값싼 금속(가운데에 있는 작은 사람들)이 된다.

면 순수한 수은을 얻을 수 있다. 현대 화학의 입장에서 보면 황화수은은 현자의 돌과는 거리가 멀지만 그 당시 연금술사들은 일반적은 수은 증기와 유황증기가 아니라 철학적이거나 이상적인 수은 증기와 유황 증기를 섞는다면 현자의 돌을 만들 수 있다고 굳게 믿었다.

물리군 최초의 연금술사는 누구인가요?

정교수 연금술사들은 신비로운 인물로 자신의 이름이나 실험실을 비밀로 했지.

서기 100년부터 300년경까지의 연금술사의 이름은 데모크리토스, 클레오파트라, 이시스, 헤르메스 트리스메기스투스, 유대 부인 마리아 등 실제 이름을 알 수 없는 사람들 뿐이었다. 또한 용어에 대해서도 제각각이었다. 예를 들면 한 개의 금속에도 많은 이름이 있었다. 수은을 뜻하는 말로는 '은의 물', '끊임없이 도망가는 것', '신의 물', '남성적 여성', '용의 알', '바다의 물', '달의 물', '검은 황소의 젖' 등

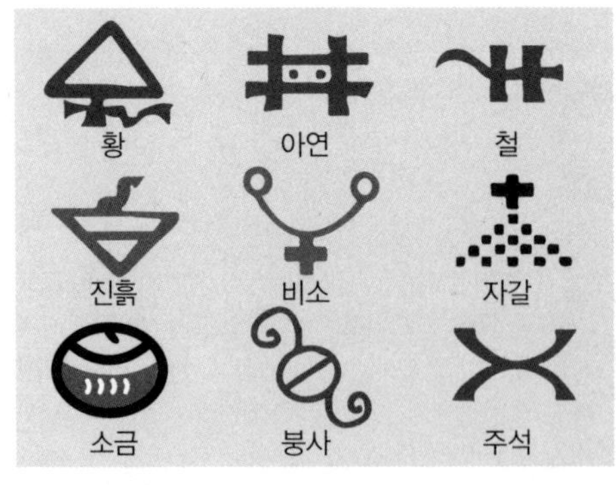

물질을 나타내는 고대 기호

이었다. 연금술이 금속과 관련 있으므로 연금술사들은 물질을 나타내는 기호를 만들었다.

연금술사 중에서 처음 정확한 이름이 밝혀진 사람은 서기 300년경 알렉산드리아에서 활동한 조시모스이다.

조시모스(Zosimos, AD 300년경)

조시모스는 연금술 실험에 대한 최초의 기록을 남긴 사람이다. 그는 28권에 달하는 저서를 통해 초기 연금술에 대한 내용을 남겼다. 하지만 대부분의 내용이 그만이 알아볼 수 있는 비밀 언어를 사용했기 때문에 대부분의 사람은 이해하기 어려웠다.

물리군 연금술사는 정말 금을 만들었나요?

정교수 아니네. 연금술에는 철학과 종교, 기술적 요소들이 섞여 있었네. 그래서 연금술의 이론은 난해했지.

연금술의 이론에는 플라톤, 아리스토텔레스, 피타고라스의 철학적인 사상과 스토아 철학, 종교, 주술, 점성술 등이 섞여 있다. 연금술 이론이 얼마나 상징적이었는지 나타내는 단적인 예는 이탈리아 베니스의 마가 성당에 있는 문서에 나타난 클레오파트라의 '금 만들기'라는 그림이다.

이 그림의 오른쪽 아래에는 증류기가 그려져 있고, 그 왼쪽 아래에는 뱀 한 마리가 자신의 꼬리를 물고 있다. 뱀 바로 위에 있는 작은 몇 개의 도형은 창조를 상징하는 장식물이고 왼쪽 위에 있는 원의 중심에는 오른쪽에서부터 금, 은, 수은의 3가지 기호가 그려져 있다. 아래의 그림은 천한 금속들이 금으로 바뀌는 과정이다.

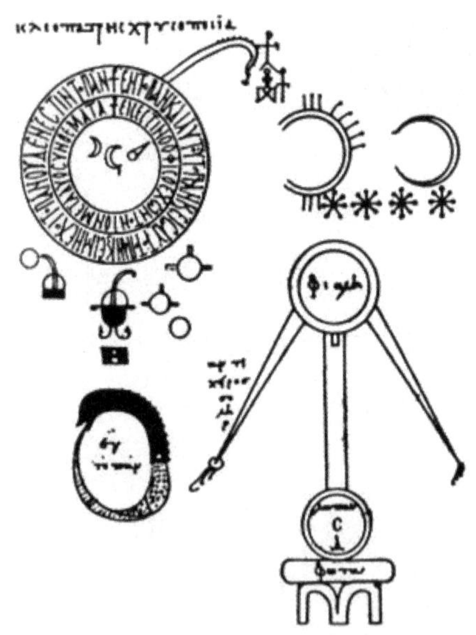

클레오파트라의 '금 만들기'

초기 연금술사들이 금을 만들기 위해 사용한 방법은 구리나 납을 흑색화, 백색화(황색화), 광택화를 거쳐 금을 만들려고 시도했다. 흑색화는 흔히 금속의 죽음을 뜻한다. 구리나 납과 같은 금속이 황과 결합하면 검은색으로 변하는데 이 현상이 바로 흑색화다. 이 물질이 연금술 과정의 씨앗 역할을 한다.

그다음 과정은 검은 물질을 하얗게 만드는 백색화 과정 또는 노랗게 만드는 황색화 과정이다. 흑색화가 일어난 구리에 황화비소를 섞으면 표면이 하얗게 변하고 석회석과 황과 식초로 만든 폴리황화칼슘을 섞으면 표면이 노랗게 변한다. 연금술사들은 백색화와 황색화가 일어나면 일단 금이 만들어진 것으로 여겼다. 이어지는 과정은 표면에 심홍색의 무지개빛이 생기는 광택화이다.

연금술사들 덕분에 수많은 실험도구들이 발명되었다. 그중 일부는 현재까지 실험실에서 사용하고 있다. 초기 연금술사들이 가장 많이 사용한 것은 증류기이다. 증류기는 세 부분으로 이루어져 있다.

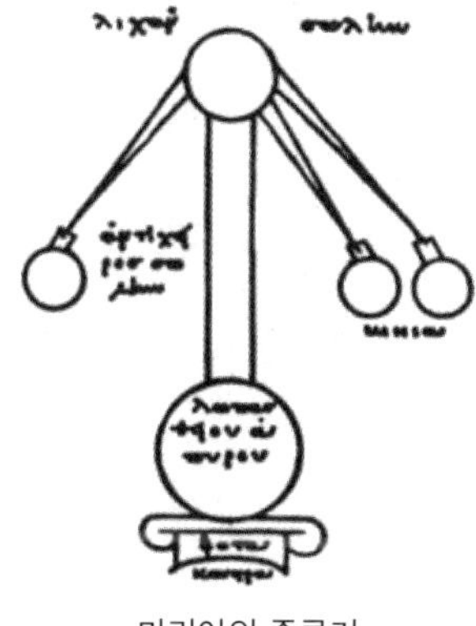

마리아의 증류기

마리아가 증기를 만드는 그림

직접 노에 가열시키는 몸체와, 몸체의 윗부분을 덮고 있는 머리 부분과 그곳에서 3개의 유출관을 통해 증류액을 받는 부분이 있다. 그러나 클레오파트라의 '금 만들기'에서 사용된 것은 2개의 유출관이 있는 증류기이다.

기원전 시대부터 19세기까지 사용된 증류기

마리아는 금속을 증기로 처리하기 위한 특별한 장치를 고안했는데 그것은 케로타키스(kerotakis)라는 장치이다. 케로타키스 안에 한 가지 이상의 천한 금속을 받침대 위에 올려놓고 불을 지피면 유황 증기가 금속과 반응하여 황화물을 만든다. 즉, 케로타키스는 연금술의 첫 번째 과정인 흑색화 과정을 위한 장치이다.

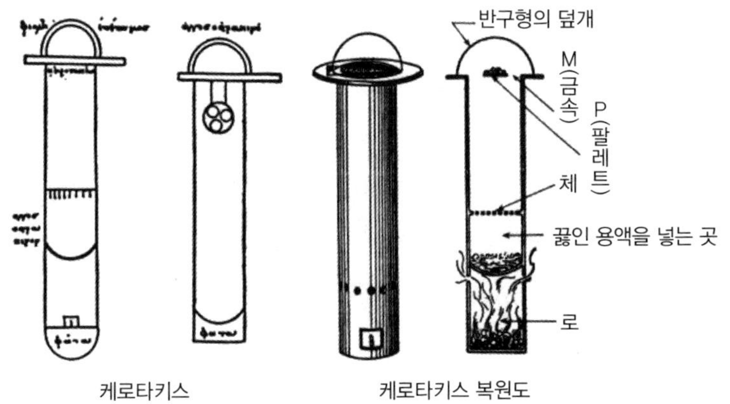

케로타키스 케로타키스 복원도

알렉산드리아의 연금술사들의 실험으로는 고체 가루를 액체에 용해시키기, 거름종이를 이용하여 입자의 크기가 다른 두 물질 거르기, 결정화시키기, 승화·증류 과정이 있다.

증류에 관한 기술을 점점 발전되었는데 처음에는 플라스크에서 올라온 증기를 후드에서 응축시키고 꼭지를 통해 용기 안에 내려 보내는 것으로 나중에는 물을 이용하는 응축기가 발명되었다.

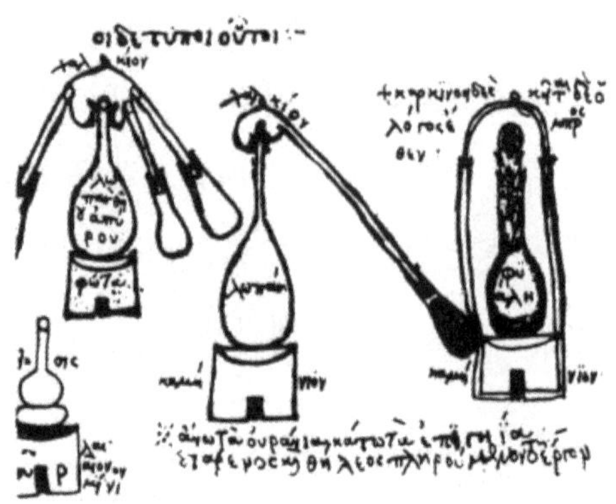

왼쪽부터 증류기, 승화기, 습침기

연금술사들은 가열 방법으로 물중탕과 모래 중탕을 이용했다. 물중탕은 마리아가 발명했다고 전해져 내려오고 있다. 이렇게 알렉산드리아의 연금술은 수많은 화학 실험 방법과 도구를 개발하는 데 큰 기여를 했다.

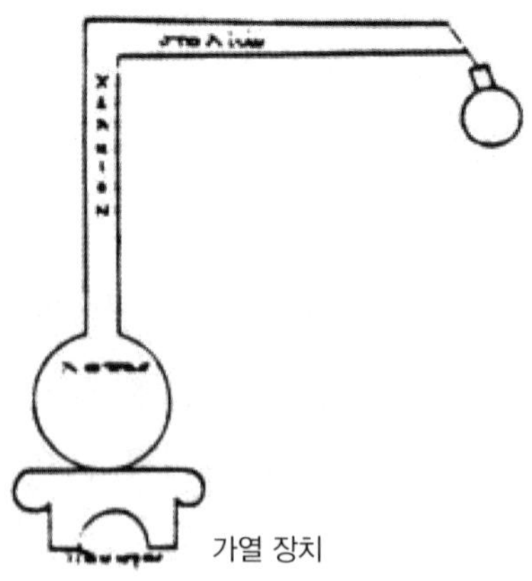

가열 장치

근대화학의 아버지 돌턴 _ 원소의 원자는 둥글다

정교수 화학자들이 연금술에 빠져 있는 동안에 화학 이론의 발전은 거의 이루어지지 않았지. 본격적으로 원자에 대해 생각한 사람은 영국의 돌턴이었네.

돌턴(Dalton, 1766~1884)

'근대화학의 아버지', '화학의 언어를 발명한 인물'로 칭송되고 있는 돌턴은 영국의 컴벌랜드주의 작은 촌락인 이글스필드에서 태어났다. 그의 아버지는 아주 가난한 직물공이었고, 자식도 많이 낳아서 집안 형편이 어려웠다. 돌턴의 가족들은 청빈하고 성실하게 사는 퀘이커 교도였기에 그도 일생 동안 퀘이커 교도로 살았다.

돌턴이 받은 유일한 공교육은 마을의 초등학교뿐이었지만 그는 12살에 학교를 만들어 아이들을 가르치기 시작했다. 15살에는 형과 함께 켄달에서 학교를 경영하면서 수학, 라틴어, 그리스어, 프랑스어 등을 독학으로 공부했다. 돌턴은 켄달에 있는 동안 기상 관측에 대한 논문을 작성했는데, 그는 죽을 때까지 천기와 기상관계를 기록하는 일을 멈추지 않았다. 기온의 측정이 얼마나 규칙적이었는지 그의 연구실 부근의 사람들은 돌턴이 기온을 잴 때 자기들의 시계를 맞추기까지 하였다고 한다.

돌턴의 연구는 식물학, 곤충학, 수학으로까지 이어졌고, 1793년 맨체스터의 뉴 칼리지에서는 그의 연구에 많은 편의를 제공했다. 그는 이 학교에서 수학과 과학, 철학 강의를 하였으며 1793년 이곳에서 그의 첫 번째 저서 『기상관측과 에세이』를 출간했다.

돌턴은 아주 심한 색맹이었다. 붉은 빛깔이 돌턴에게는 항상 녹색으로 보였고, 그런 인연으로 색명이 발생하는 이유를 1794년 논문을 통해 최초로 발표했다. 이에 오늘날 색맹을 돌터니즘(Daltonism)이라고도 한다.

돌턴은 맨체스터 문학 및 철학 협회의 회원으로 활동하면서 물에 녹는 기체의 용해도로 유명한 헨리와 우정을 쌓았고 그 인연으로 훗날 원자설을 이용하여 기체의 용해도를 완벽하게 설명했다.

돌턴은 1803년 원자설을 발표하고 그 내용은 1808년에 출간된 『화학철학의 새로운 체계』에서 집대성되었다. 1805년에는 수소 원자의 질량을 1이라고 할 때 다른 원자들의 상대적인 질량을 나타내는 원자량을 발표했다. 이후 돌턴은 1822년 맨체스터 문학 및 철학협회 회장이 되었다. 남은 여생은 고양이를 기르며 독신으로 개인 교습을 하며 보냈다. 1844년 그는 자신의 눈을 색맹 연구용으로 기증하고 세상을 떠났다. 돌턴이 살아 있을 때인 1838년 공공모금을 통해 그의 조각상이 만들어질 만큼 맨체스터 시민의 존경을 한몸에 받았다.

물리군 대단한 과학자네요.

정교수 이제 돌턴이 어떻게 원자의 실체를 알아냈는지 살펴보겠네. 먼저 돌턴에게 영향을 준 과학자들의 이야기를 먼저 이야기해 보겠네.

'한 화합물을 구성하는 성분 물질의 구성비는 일정하다'는 이론을 일정 성분비의 법칙이라고 한다. 1799년 이를 제창한 프랑스의 화학자 프루스트는 천연적으로 존재하는 염기성 탄산구리와 실험실에서 만든 염기성 탄산구리를 분석하였을 때, 두 화합물에서 조성비가 같다는 사실을 발견했다. 그는 두 물질이 반응하여 한 화합물을 만들 때에는 언제나 일정한 비율로 결합한다고 주장했다. 반응 물질들이 어떤 양으로 섞여 있어도 이들은 언제나 일정한 비율로 결합하여 반응 결과 생성된 물질은 달라지지 않는다는 것이다.

하지만 19세기 전까지만 하더라도 많은 화학자들은 화합물을 구성하는 성분 물질의 질량비가 일정하지 않다고 생각했다. 그중 프랑스의 베르톨레는 프루스트에 대항하여 화합물을 만드는 방법에 따라 그 조성이 여러 가지로 달라지며 아주 특별한 때에만 일정 성분비의 법칙이 성립하므로 하나의 화합물에서 물질의 조성은 일정하지 않다고 맞섰다. 그는 철의 산화물을 분석하여 그 조성비가 일정하지 않다고 주장했는데 이는 어떤 철의 산화물에서는 철과 산소의 조성비가 56 : 16이고 또 다른 철의 산화물에서는 철과 산소의 조성비가 56 : 24라는 실험 결과를 내세워 프루스트가 옳지 않다고 반박했다.

하지만 이것은 철의 산화물에는 두 종류가 있다는 것을 몰랐던 베르톨레의 결정적인 실수였다. 철과 산소의 조성비가 56 : 16인 산화철은 산화제일철(FeO)이고 조성비가 56 : 24인 산화철은 산화제이철(Fe_2O_3)이었던 것이다. 결국 프루스트는 산화제일철과 산화제이철은 서로 다른 화합물이므로 그 조성비가 같을 필요가 없음을 밝혀냈다.

8년 동안 학계의 화제를 모아 온 두 사람의 싸움은 마침내 프루스트의 승리로 끝났다. 결국 '같은 화합물에서는 각 성분은 일정한 질량비를 갖는다'라는 프루스트의 주장이 승리를 거두었다.

프루스트와 베르톨레의 승패에 결정적인 역할을 한 것은 두 원소가 서로 다른 화합물을 만든다는 것이었다. 예를 들면 탄소와 산소의 화합물에도 이산화탄소와 일산화탄소의 두 종류의 화합물이 있다. 일산화탄소에서 탄소와 산소의 조성비는 12 : 16이고, 이산화탄소에서의 조성비는 12 : 32이다. 이는 탄소 12g과 산소16g이 반응하면 일산화탄소 28g이 되고, 탄소12g과 산소 32g이 반응하면 이산화탄소 44g이 되는 것을 의미한다.

돌턴은 두 종류의 탄소 산화물에서 같은 양의 탄소와 반응하는 산소의 질량비를 조사하였다. 이때 일산화탄소에서는 탄소 1g과 반응하는 산소의 양은 $\frac{16}{12}$g이고 이산화탄소에서는 $\frac{32}{12}$g이 되었다. 즉 두 화합물에서 반응하는 산소의 질량비는 $\frac{16}{12} : \frac{32}{12} = 1 : 2$로 간단한 정수비를 이루는 것을 알아냈다. 이것이 바로 돌턴의 배수비례의 법칙이다.

배수비례의 법칙은 두 종류의 원소가 화합하여 두 가지 이상의 화합물을 만들 때, 한 원소의 일정량과 결합하는 다른 원소의 질량비는 항상 간단한 정수비가 성립한다.

배수비례의 법칙은 산소나 탄소가 더 이상 쪼개어지지 않는 가장 작은 알갱이들로 이루어져 있는 것으로 돌턴은 이를 원자라고 불렀다. 이에 따르면 화합물을 만드는 각 원소의 원자 수가 항상 일정하고 같은 원소의 원자는 모두 같은 질량을 갖는다.

이 이유를 간단한 비유를 통해 알아보자. 주머니 속에 여러 개의 검은 바둑알과 흰 바둑알이 섞여 있다고 상상해 보자. 이때 검은 바둑알과 흰 바둑알은 서로 다른 원소를 비유한다. 여기서 아무렇게나 한 움큼 꺼내보자. 처음 꺼냈을 때 검은 바둑알이 3개, 흰 바둑알이 2개라고 한다면 이들을 접착제로 붙여보자. 이것이 바로 검은 원소와 흰 원소로 이루어진 화합물에 대한 비유이다. 또 다시 한 움큼 꺼내보자. 이번에는 검은 바둑알 2개와 흰 바둑알 1개라고 한다면 역시 접착제로 붙이면 검은 원소와 흰 원소로 이루어진 또 다른 화합물이 된다. 이때 두 화합물에서 한 개의 검은 바둑알과 결합한 흰 바둑알의 개수의 비는 $\frac{2}{3}:\frac{1}{2}$이 된다. 비례식에 같은 수를 곱해도 비 값이 같아지므로 비는 4 : 3 이 되어 간단한 정수의 비를 이룬다. 이는 주머니 속에 같은 종류의 바둑알이 들어 있었기 때문이다. 검은 바둑알 한 개는 검은 원소를 이루는 가장 작은 알갱이인 원자를 나타내므로 배수비례의 법칙이 성립한다는 것은 바로 원소들이 원자라는 가장 작은 알갱이로 이루어져 있다는 것을 나타낸다. 돌턴은 『화학철학의 새로운 체계』에서 원자설에 대해 다음과 같이 요약했다.

• 돌턴의 원자설

1. 물질은 더 이상 쪼갤 수 없는 가장 작은 알갱이인 원자이다.
2. 원자의 종류는 원소에 따라 정해지며 같은 원소의 원자는 질량과 성질이 서로 같고, 다른 종류의 원자는 질량과 성질이 서로 다르다.
3. 화학 변화가 일어날 때 원자는 새로 생성되거나 소멸되지 않는다.
4. 화학 변화는 원자들이 서로 결합하거나 분해하는 변화이므로 화학 변화의 기본 단위는 원자이다.
5. 화합물이 생길 때에는 각 원소의 원자 사이에 간단한 정수 비로 결합한다.

돌턴은 원자설을 이용하여 용해도를 설명했다. 용해도란 물질이 물에 녹는 정도를 나타내는 것으로 물 100g에 최대로 녹을 수 있는 물질의 양을 말한다. 예를 들면 용해도가 36인 소금은 물 100g에 소금이 최대 36g까지 녹을 수 있다.

돌턴은 용해도가 높은 물질과 낮은 물질의 차이는 그 물질을 이루는 원자의 크기와 관계가 있다고 생각했다. 이는 축구공이 가득 들어 있는 상자에 농구공을 넣기는 힘들지만 작은 골프공은 틈 사이로 넣을 수 있는 것과 마찬가지다. 물을 이루는 원자들의 크기에 비해 작은 크기를 가진 원자로 이루어진 물질은 물 속에 더 잘 녹을 수 있다는 것이 돌턴의 생각이었다. 돌턴은 원자 모양이 동글다고 생각하여 원자 기호를 동그라미로 나타냈다.

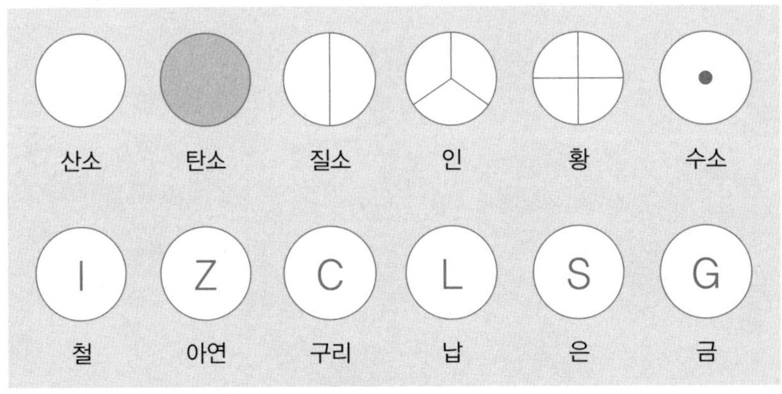

돌턴의 원소기호

물리군 돌턴이 원자에 대한 완벽한 정의를 내렸군요.

정교수 돌턴의 원자설 이후에 원자의 진정한 모습은 20세기 물리학자들이 밝혔다네.

두 번째 만남

뉴턴의 원운동

벡터 알아보기 _크기와 방향으로 정의하다

정교수 이제부터 20세기 초에 나온 톰슨과 러드퍼드, 보어의 원자모형에 대해 알아보겠네. 이 이론을 이해하려면 먼저 원운동에 대한 지식이 필요하네. 원운동에 대해 공부하려면 벡터와 삼각함수를 먼저 알아보겠네.

물리군 고등학교 때 배웠던 기억이 나요.

정교수 이미 고등학교 때 증명은 배웠으니 이번에는 꼭 필요한 내용만 짚고 넘어가겠네.

물리량은 스칼라와 벡터로 나타낸다.

스칼라 = 크기만 가진 양

벡터 = 크기와 방향을 가진 양

벡터는 속도와 힘, 토크, 운동량과 같은 것을 나타내고, 스칼라는 속력과 같은 양을 나타낼 때 쓴다. 힘을 나타내는 벡터는 다음과 같이 쓴다.

물리군　벡터는 누가 처음 사용했나요?

정교수　벡터는 19세기 초 깁스(Gibbs, 1839~1903)와 헤비사이드(Heaviside, 1850~1925)가 발견했네. 하지만 벡터라는 개념을 사용하지 않았을 뿐 벡터의 성질에 대해서는 그 전부터 알려져 있었지. 물론 벡터를 지금과 같은 기호로 나타낸 것은 깁스이고 벡터에 대한 성질은 깁스와 헤비사이드에 의해 연구되었다네.

물리군　벡터 기호가 나온지는 그리 오래되지 않았군요.

정교수　그렇네. 이때부터 뉴턴의 역학이나 맥스웰의 전자기학 이론이 모두 벡터를 이용해서 표현되기 시작하네.

벡터는 방향과 크기를 나타내므로 화살표를 사용한다.

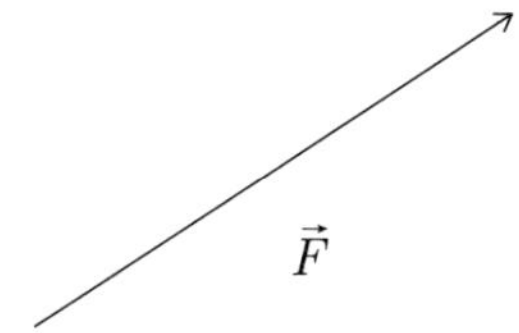

화살표의 방향이 벡터의 방향을 나타내고 화살표의 길이가 벡터의 크기를 나타낸다.

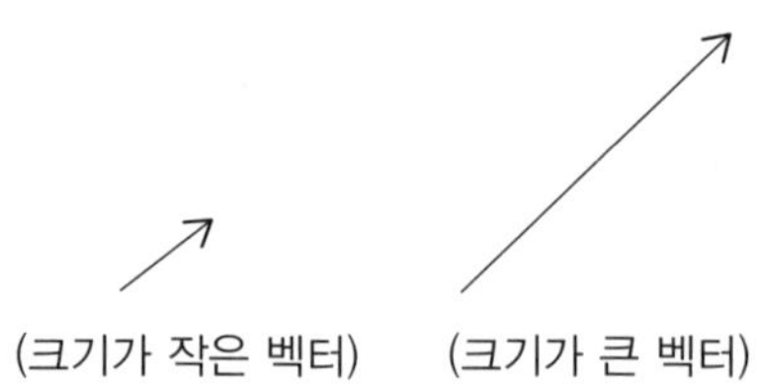

(크기가 작은 벡터)　　(크기가 큰 벡터)

두 점 A, B에 대해 우리는 두 개의 벡터를 만들 수 있다. A에서 출발해서 B에 도착하는 벡터를 $\overrightarrow{AB}$ 라고 쓴다. 앞으로 출발하는 곳을 '꼬리'라고 부르고 도착하는 곳을 '머리'라고 하자.

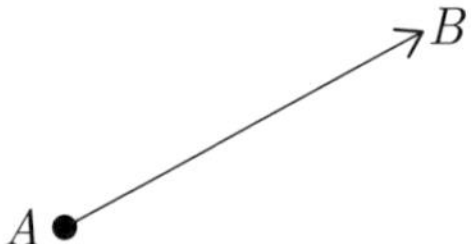

B에서 출발해서 A에 도착하는 벡터를 $\overrightarrow{BA}$라고 쓴다.

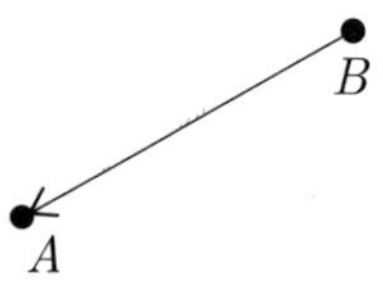

물리군 이해했어요.

정교수 그럼 다음 단계로 넘어가겠네.

두 벡터가 같다는 것은 두 벡터의 방향과 크기가 같다는 것을 의미한다.

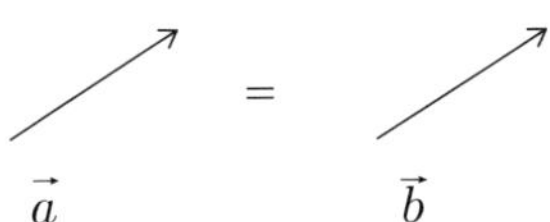

위 그림에서

$\vec{a} = \vec{b}$

이다.

두 벡터의 방향이 같을 때 두 벡터는 평행하다.

$\vec{b}$가 $\vec{a}$와 방향은 같고 $\vec{b}$의 크기가 $\vec{a}$의 크기의 두 배이면

$\vec{b} = 2\vec{a}$

라고 쓴다. 또한 $\vec{a}$와 방향이 반대이고 크기가 같은 벡터를 $-\vec{a}$라고 쓴다.

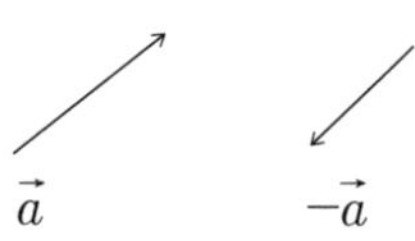

마찬가지로 $\vec{a}$와 방향이 반대이고 크기가 $\vec{a}$의 크기의 두 배인 벡터는

$-2\vec{a}$

가 된다.

일반적으로 다음과 같이 정리할 수 있다.

- $k > 0$이면 $k\vec{a}$는 $\vec{a}$와 방향이 같다.
- $k < 0$이면 $k\vec{a}$는 $\vec{a}$와 방향이 반대이다.

이제 벡터의 크기를 알아보자. 벡터의 크기를 나타낼 때는 절대값 기호를 사용한다.

$|\vec{a}| = \vec{a}$의 크기

벡터의 크기는 다음 성질을 만족한다.

- $|-\vec{a}| = |\vec{a}|$

- $|k\vec{a}| = |k|\,|\vec{a}|$

(여기서 $|k|$는 k의 절대 값이다.)

크기가 1인 벡터는 단위벡터이다. 벡터 $\vec{a}$와 같은 방향인 단위벡터를 수학자들은 $\hat{a}$라고 쓰고 '햇 에이(hat a)'라고 읽는다.

벡터 $\vec{a}$와 같은 방향인 단위벡터는 다음과 같다.

$$\hat{a} = \frac{\vec{a}}{|\vec{a}|}$$

물리군 두 벡터를 더하는 건 어떻게 하나요?

정교수 두 벡터 $\vec{a}$와 $\vec{b}$의 덧셈은 다음과 같이 정의하네.

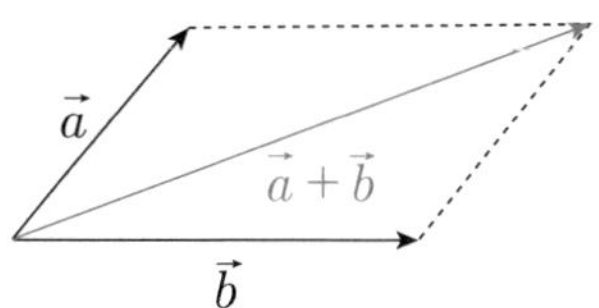

두 벡터의 덧셈을 그릴 때는 $\vec{a}$의 꼬리와 $\vec{b}$의 꼬리를 일치시킨다. 그 다음 $\vec{a}$의 크기과 $\vec{b}$의 크기를 두 변의 길이로 하는 평행사변형을

그린 후 대각선 방향으로 화살표를 그리면 그것이 바로 $\vec{a}+\vec{b}$이다. 이렇게 두 벡터의 합을 구하는 방법을 평행사변형법이라고 부른다.

물리군 이것도 깁스나 헤비사이드가 발견했나요?

정교수 그렇지 않네. 1586년에 벨기에의 스테빈이 처음 알아냈네.

스테빈(Simon Stevin, 1548~1620)

스테빈은 벨기에 브뤼헤에서 태어났다. 그는 상점 점원으로 일하다가 1581년 33살에 라틴 학교에 입학하기 위해 네덜란드로 이주했다. 그가 라이덴 대학에 입학했을 때 나이는 35살이었다. 그는 모리스 왕자와도 친분을 쌓아 대학 졸업 뒤에는 군대의 보급과 재정을 책임지는 일을 맡았다.

1585년 스테빈은 사람들이 돈을 빌릴 때 내는 이율이 $\frac{1}{11}$과 같이 계산하기에 불편한 분수로 되어 있는 것이 마음에 들지 않았다. 그래서 그는 이율을 나타내는 분수의 분모가 10, 100, 1000 등과 같이 주어져야 한다고 주장하고 이런 분수를 마치 정수처럼 표시할 수 있는 새로운 표현을 찾아냈다. 이것이 바로 최초의 소수 표현이다. 그는 이 내용으로 『10분의 1에 관하여: De Thiende』라는 책을 썼다.

이 책에서 스테빈은 소수의 표현과 계산에 대해 체계적인 내용을 담았다. 예를 들어 분수 $\frac{13}{100}$을 1①3②이라고 썼는데 이것을 지금의 표현으로 하면 0.13이다. 즉 1①은 소수 첫째 자리의 수가 1임을 3②는 소수 둘째 자리의 수가 3임을 나타낸다. 이런 식으로 나타내면 분수 $\frac{678}{1000}$은 6①7②8③이 되는 데 지금의 표현으로 나타내면 0.678이 된다.

DE

THIENDE

Leerende door onghehoorde lichticheyt allen rekeningen onder den Menſchen noodich vallende, afveerdighen door heele ghetalen ſunder ghebrokenen.

Beſchreven door SIMON STEVIN van Brugghe.

TOT LEYDEN,
By Chriſtoffel Plantijn
M. D. LXXXV

『10분의 1에 관하여』의 표지

스테빈은 기존의 이율이 $\frac{1}{11}$과 같은 경우도 근사적으로 소수로 나타낼 수 있는 방법을 알아냈다. 그는 $\frac{1}{11}$과 $\frac{9}{100}$이 거의 비슷하므로 $\frac{9}{100}$을 0①9②로 나타냈다. 여기서 0①은 소수 첫째 자리가 0임을 나타낸다. 이것을 현재의 표기법으로 나타내면 0.09가 된다.

스테빈의 소수 표현은 1보다 작은 수에 대해 어떤 수가 더 큰지를 쉽게 알 수 있는 장점이 있었다. 예를 들어 0①9②와 0①0②9③를 비교해 보자. 소수 첫째 자리의 수는 0으로 같으므로 소수 두 번째 자리의 수를 비교해야 한다. 0①9②의 소수 둘째 자리의 수는 9이고 0①0②9③의 소수 둘째 자리의 수는 0이므로 0①9②이 0①0②9③보다 크다는 것을 쉽게 알 수 있다.

하지만 스테빈의 소수 표현은 오래 가지 못했다. 그의 소수 표현은 1617년 수학자 네이피어가 지금의 3.25처럼 소수점을 사용하는 표기법으로 바꾸었기 때문이다.

스테빈은 물리학에도 조예가 깊었는데 그는 두 개 이상의 힘이 한 물체에 작용할 때 평형이 되는 조건을 처음 알아냈다. 또한 그는 성을 쌓는 기술에 대한 연구를 했으며 물이 부족한 농토에 물을 공급하면서 배를 통해 물품을 이동시킬 수 있는 수로를 설계하기도 했다.

그는 이 과정에서 두 개의 힘이 합쳐질 때 두 힘의 합력은 평행사변형법을 따른다는 것을 처음 알아냈다. 물론 스테빈은 벡터 기호를 사용하지 않았지만 힘이 방향과 크기가 있으므로 두 힘을 합칠 때 평행사변형법으로 덧셈이 되어야 한다는 것을 알아냈다. 이것은 지금의 벡터의 합의 정의와 일치한다.

스테빈은 아르키메데스의 연구 내용을 열심히 공부하여 바람에 의해 달릴 수 있는 돛이 달린 마차를 만들었다. 이 마차는 28명의 사람을 싣고도 달리는 말을 쉽게 앞지를 수 있었다.

물리군 벡터의 덧셈에 대해서는 굉장히 오래된 역사가 있었군요.

정교수 그렇네.

물리군 벡터로 뺄셈이 가능한가요?

정교수 물론이네.

돛으로 추진되는 마차

두 벡터 $\vec{a}$, $\vec{b}$에 대해 뺄셈은 다음과 같이 정의된다.

$$\vec{a}-\vec{b}=\vec{a}+(-\vec{b})$$

벡터의 뺄셈을 그리는 방법을 알아보자.

1단계 두 벡터 $\vec{a}$, $\vec{b}$를 다음과 같이 그린다.

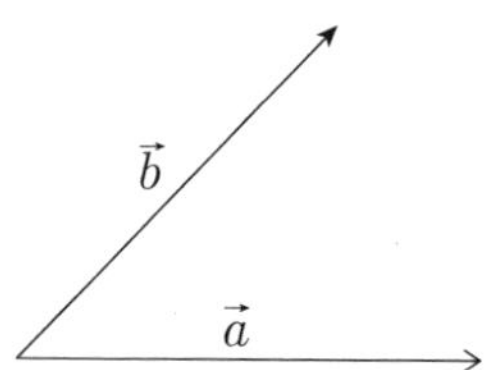

2단계 $-\vec{b}$를 그린다.

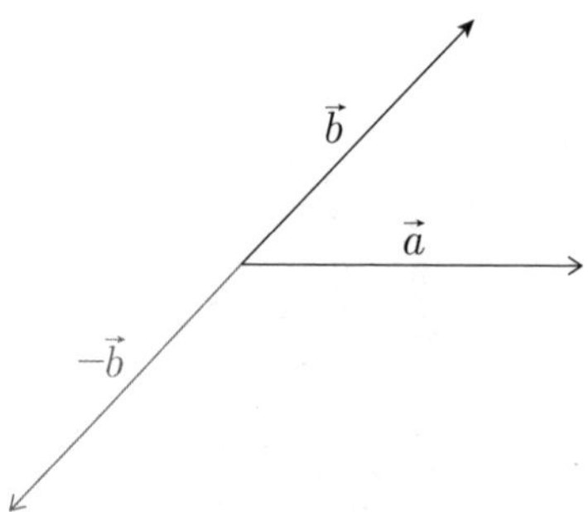

3단계 $\vec{a}$와 $-\vec{b}$의 합을 그린다.

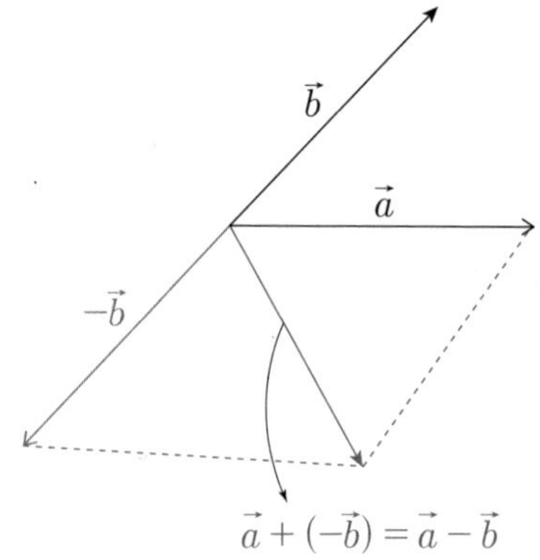

4단계 위에 그린 벡터 $\vec{a} - \vec{b}$를 다음과 같이 평행이동시킨다.

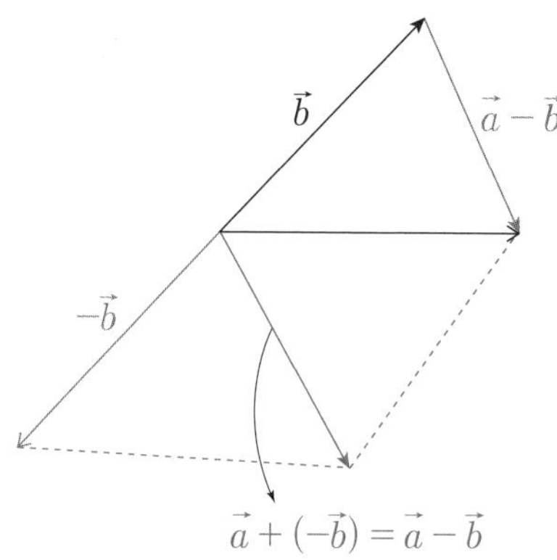

벡터의 뺄셈은 다음 그림과 같이 요약할 수 있다.

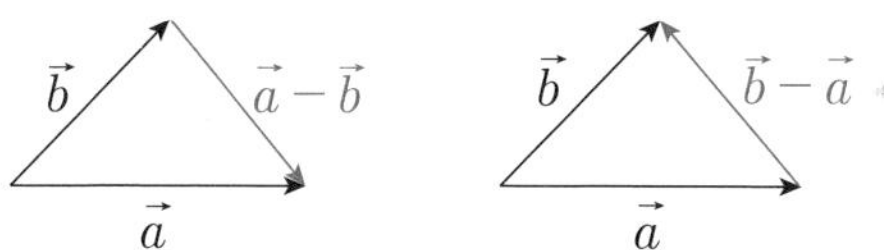

이제 주어진 벡터를 수평방향 벡터와 수직방향 벡터의 합으로 나타내는 것을 알아보자.

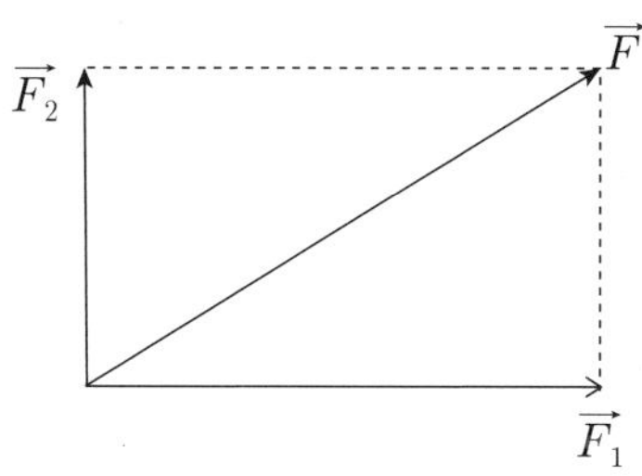

주어진 벡터 $\vec{F}$는 수평 방향 벡터인 $\vec{F_1}$과 수직 방향 벡터인 $\vec{F_2}$의 합으로 나타낼 수 있다.

$$\vec{F} = \vec{F_1} + \vec{F_2}$$

이것을 벡터의 분해라고 부른다.

물리군 벡터도 곱셈이 가능한가요?

정교수 벡터의 곱셈은 두 가지이네.

- 내적: 두 벡터의 곱은 스칼라가 된다.
- 외적: 두 벡터의 곱은 벡터가 된다.

다음 그림을 보자.

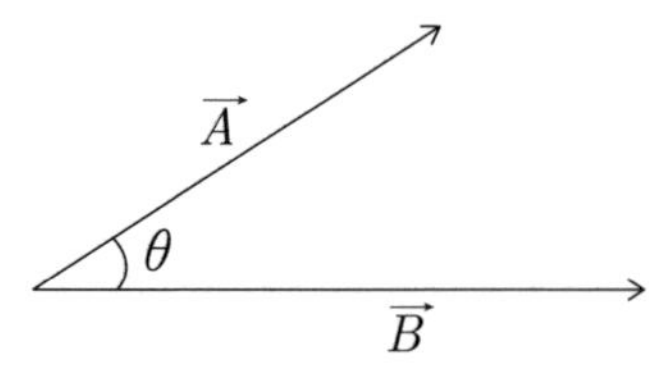

여기서 θ는 두 벡터의 사잇각이다. 두 벡터 $\vec{A}$와 $\vec{B}$의 내적은 다음과 같이 정의된다.

$$\vec{A} \cdot \vec{B} = |\vec{A}||\vec{B}|\cos\theta$$

두 벡터 $\vec{A}$, $\vec{B}$에 대해 외적은 $\vec{A}\times\vec{B}$로 나타내고 그 크기는

$$\left|\vec{A}\times\vec{B}\right| = \left|\vec{A}\right|\left|\vec{B}\right|\sin\theta$$

으로 정의되고, 방향은 $\vec{A}$에서 $\vec{B}$로 오른손을 감아쥐었을 때 엄지손가락이 가리키는 방향이다.

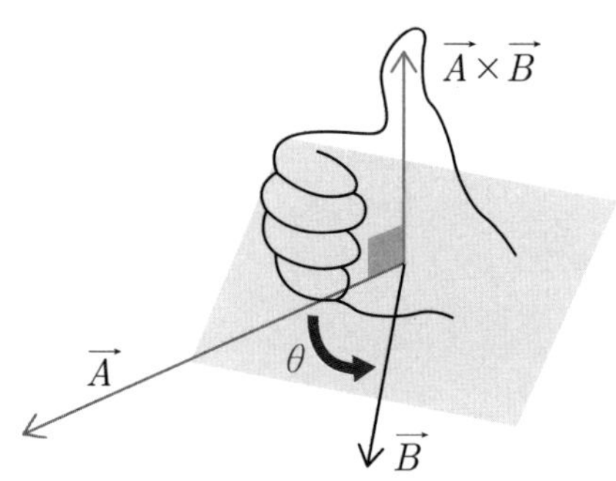

삼각함수의 역사 _ 코사인 법칙

정교수 이번에는 삼각함수에 대해 알아보겠네.

물리군 사인, 코사인, 탄젠트를 말하는 건가요?

정교수 맞네. 이제 삼각함수에 대한 역사를 살펴보겠네. 우선 각도의 단위가 두 종류라는 건 알고 있나?

물리군 네, 도(°)와 라디안이지요?

정교수 그렇네.

라디안은 0°를 0으로 360°를 2π에 대응시킨 각도 체계이다. 라디안이라는 단위는 보통 생략해서 쓴다. 즉, 1°는 $\frac{\pi}{180}$이 된다. 주요 각을 라디안을 써서 나타내면 다음과 같다.

$$0^\circ = 0$$

$$30^\circ = \frac{\pi}{6}$$

$$45^\circ = \frac{\pi}{4}$$

$$60^\circ = \frac{\pi}{3}$$

$$90^\circ = \frac{\pi}{2}$$

$$180^\circ = \pi$$

$$270^\circ = \frac{3\pi}{2}$$

$$360^\circ = 2\pi$$

물리군 라디안은 누가 처음 도입했나요?

정교수 부채꼴의 호의 길이가 중심각에 비례한다는 것을 고대 이집트나 고대 그리스의 수학자들이 알고 있었지만, 현재 사용하는 라디안을 처음 정의한 수학자는 영국의 수학자이자 천문학자인 코츠(Cotes, 1682~1716)이네. 코츠는 뉴턴과 같은 케임브리지 대학 트리

니티 칼리지의 교수로 뉴턴도 코츠가 제안한 라디안의 편리성에 관심을 가졌고, 이를 이용해 원운동을 연구했네.

물리군 라디안은 왜 단위를 생략했나요?

정교수 다음 부채꼴을 보게.

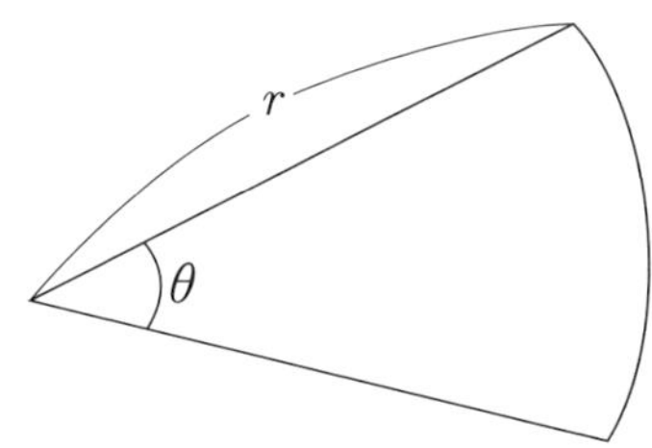

이 부채꼴의 호의 길이를 s라고 하면 θ를 라디안으로 나타냈을 때 다음과 같은 비례식이 성립하네.

$$2\pi r : s = 2\pi : \theta$$

이 식을 풀면

$$\theta = \frac{s}{r}$$

즉, 라디안으로 나타낸 각은 호의 길이를 반지름의 길이로 나눈 값이므로 단위가 없네.

물리군 그렇군요.

정교수 이제 삼각함수의 역사를 살펴보겠네. 삼각함수의 정의는 아주 오랜 역사를 가지고 있네. 역사를 이야기하기 전에 먼저 자네가 아는 여섯 개 종류의 삼각함수에 대해 요약하겠네.

다음 직각삼각형을 보자.

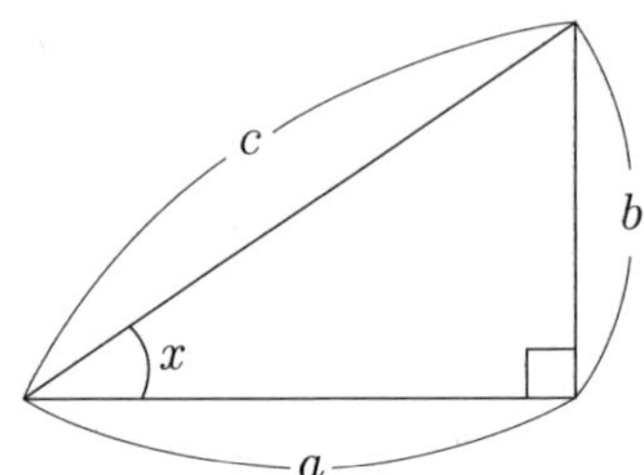

사인, 코사인, 탄젠트를 다음과 같이 정의된다.

$$\sin x = \frac{b}{c}$$
$$\cos x = \frac{a}{c}$$
$$\tan x = \frac{b}{a}$$

사인, 코사인, 탄젠트의 역수는 다음과 같이 쓰기로 약속한다.

$$\csc x = \frac{1}{\sin x}$$
$$\sec x = \frac{1}{\cos x}$$
$$\cot x = \frac{1}{\tan x}$$

물리군 누가 사인, 코사인, 탄젠트를 정의한 건가요?

정교수 이제 그 이야기를 들려주려고 하네.

삼각형 수학 연구는 고고학자 린드(Rhind, 1833~1863)가 1858년 이집트의 룩소에서 발견한 린드 파피루스에 남아 있다.

기원전 삼각형에 대한 수학은 이집트나 바빌로니아에서 많은 연구를 했다. 이 연구 내용들은 대부분 고대 그리스의 수학자 유클리드(Euclid, BC 300)의 『원론』에 있다. 유클리드는 삼각함수에 대한 개념을 직각삼각형의 닮음에서 찾았다.

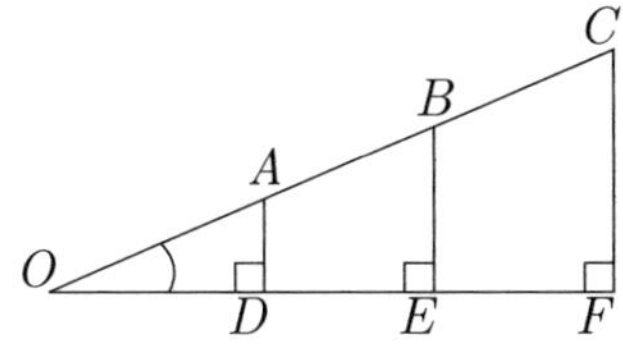

위 그림에서 삼각형 AOD, 삼각형 BOE, 삼각형 COF는 닮음이다. 닮음의 성질로부터

$$OA : AD = OB : BE = OC : CF$$

가 된다. 이것을 다시 쓰면

$$\frac{AD}{OA} = \frac{BE}{OB} = \frac{CF}{OC}$$

이 된다. 이 비 값을 지금의 삼각함수로 나타내면

$$\sin \angle O$$

가 된다. 즉, 유클리드는 사인이라는 기호를 사용하지 않았을 뿐 사인의 정의에 대해 알고 있었던 것이다. 현재의 사인과 코사인에 대한 정의는 기원전 6세기 인도의 수학자 아리야바타(Aryabhata, 476~550)가 만들었다. 그는 다음과 같은 부채꼴을 생각했다.

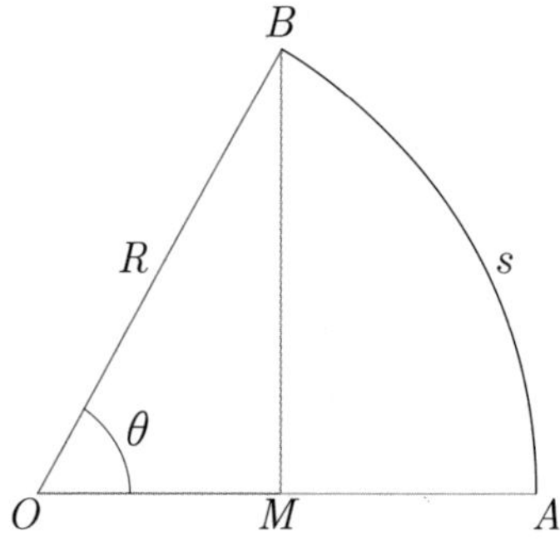

여기서 BM은 점 B에서 OA로의 수선이고 s는 호 AB의 길이이다. 각 θ에 대해,

$$\text{jyā}\ (\theta) = BM$$

$$\text{koti-jyā}\ (\theta) = OM$$

이라고 정의했다. 이것이 바로 최초의 사인과 코사인의 정의이다.

물리군 왜 사인과 코사인이 되는 거죠?

정교수 지금의 표현으로 고치면

$$\text{jyā}\ (\theta) = R\sin\theta$$

$$\text{koti-jyā}\ (\theta) = R\cos\theta$$

가 되네. 그러므로 반지름이 1인 원을 택하면 두 표현은 같아지네.

물리군 아하!

정교수 jyā와 koti–jyā는 이슬람 수학자들에 의해서 사용되었고, 12세기에 유럽의 수학자들이 이를 라틴어로 번역하는 과정에서 반지름이 1일 때의 jyā는 sinus가 되었고, 반지름이 1일 때의 koti–jyā는 co–sinus가 되었다네.

물리군 sinus가 sine이 되고, co–sinus가 cosine이 되는 거네요.

정교수 그렇네. 그것을 세 철자만 써서 sin과 cos가 되었지.

꼭 기억해 둬야 할 삼각함수 값은 다음과 같다.

$$\sin 0 = 0 \qquad \cos 0 = 1 \qquad \tan 0 = 0$$

$$\sin\frac{\pi}{6} = \frac{1}{2} \qquad \cos\frac{\pi}{6} = \frac{\sqrt{3}}{2} \qquad \tan\frac{\pi}{6} = \frac{1}{\sqrt{3}}$$

$$\sin\frac{\pi}{4} = \frac{1}{\sqrt{2}} \qquad \cos\frac{\pi}{4} = \frac{1}{\sqrt{2}} \qquad \tan\frac{\pi}{4} = 1$$

$$\sin\frac{\pi}{3} = \frac{\sqrt{3}}{2} \qquad \cos\frac{\pi}{3} = \frac{1}{2} \qquad \tan\frac{\pi}{3} = \sqrt{3}$$

$$\sin\frac{\pi}{2} = 1 \qquad \sin\frac{\pi}{2} = 0 \qquad \tan\frac{\pi}{2} = \infty$$

피타고라스 정리를 이용하면, 사인과 코사인 사이에 다음 식이 성립하는 것을 알 수 있다.

$$\sin^2 x + \cos^2 x = 1$$

물리군 코사인은 sine 앞에 co를 붙였는데 무슨 의미가 있나요?

정교수 여기서 co는 보각(complementary angle)을 나타내네. 보각은 어떤 각의 보각이라는 직각에서 그 각을 뺀 각을 말하네. θ의 보각은 $\frac{\pi}{2} - \theta$가 되네. 즉,

$$\cos\theta = \sin(\theta\text{의 보각})$$

이라는 뜻이네. 그러므로

$$\sin\left(\frac{\pi}{2}-\theta\right)=\cos\theta$$

$$\cos\left(\frac{\pi}{2}-\theta\right)=\sin\theta$$

라는 성질이 성립하네.

물리군 네.

정교수 이제 삼각함수의 공식 중에서 이번 원자모형에서 사용되는 공식 몇 개만 나열해 보겠네. 우선 두 각의 합에 대한 사인과 코사인은 다음과 같네.

$$\sin(x+y)=\sin x\cos y+\cos x\sin y$$

$$\cos(x+y)=\cos x\cos y-\sin x\sin y$$

$$\sin 2x=2\sin x\cos x$$

$$\cos 2x=\cos^2 x-\sin^2 x=1-2\sin^2 x=2\cos^2 x-1$$

$$\sin^2\frac{x}{2}=\frac{1-\cos x}{2}$$

$$\cos^2\frac{x}{2}=\frac{1+\cos x}{2}$$

물리군 이 공식들은 누가 처음 발견했나요?

정교수 10세기에 페르시아의 수학자 아부알와파(Abū al-Wafā,

940~998)가 모두 발견했네.

이번에는 코사인 정리에 대해 알아보자. 코사인 정리는 14세기에 이란의 알카시(al-Kāshī, 1380~1429)가 처음 증명했다.

다음 그림을 보자.

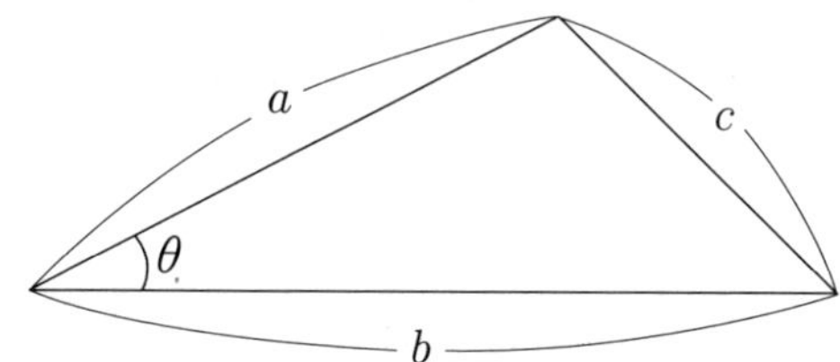

두 변의 길이와 사잇각을 알 때 나머지 한 변의 길이를 구하는 공식이다. 이 그림에서

$$c^2 = a^2 + b^2 - 2ab\cos\theta \quad (2-2-1)$$

가 된다.

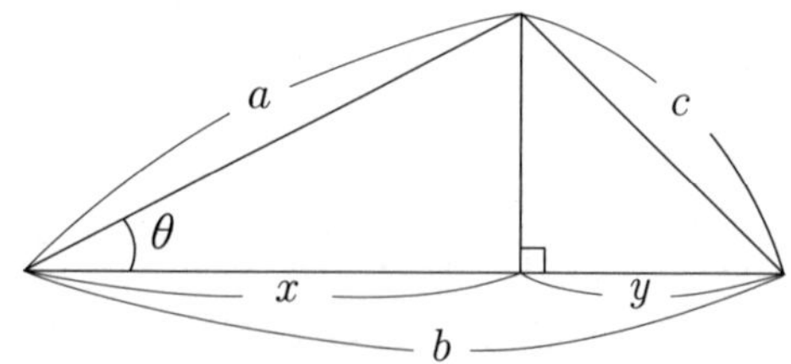

이때

$$\cos\theta = \frac{x}{a}$$

가 된다. 그러니까

$$a^2 + b^2 - 2ab\cos\theta = a^2 + b^2 - 2bx \qquad (2\text{-}2\text{-}2)$$

이고,

$$b = x + y$$

이니까

$$\begin{aligned} a^2 + b^2 - 2ab\cos\theta &= a^2 + b^2 - 2bx \\ &= a^2 + y^2 - x^2 \end{aligned} \qquad (2\text{-}2\text{-}3)$$

이 된다. 피타고라스 정리에 의해

$$a^2 - x^2 = c^2 - y^2 \qquad (2\text{-}2\text{-}4)$$

이니까 이 관계식을 (2–2–3)에 대입하면

$$a^2 + b^2 - 2ab\cos\theta = c^2$$

이 된다.

물리군 두 변의 길이와 사잇각을 알면 나머지 한 변의 길이를 알 수 있군요.

정교수 그렇네. 이번에는 사인정리에 대해 알아보겠네.

삼각형 ABC가 반지름이 R인 원에 내접한 경우를 보자.

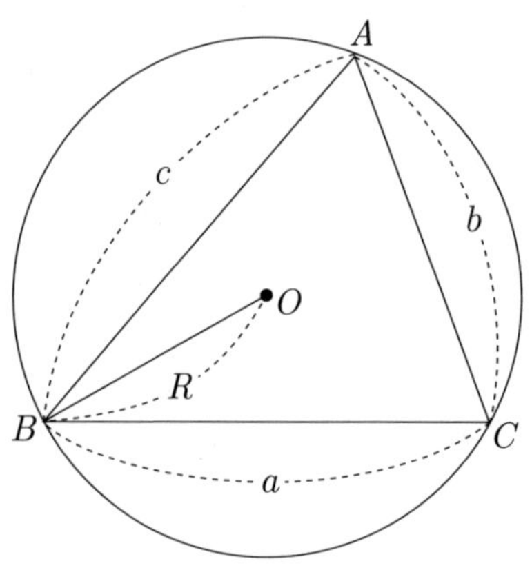

이 때

$$\frac{a}{\sin A} = \frac{b}{\sin B} = \frac{c}{\sin C} = 2R$$

이 성립한다. 이것을 사인 정리라고 부른다. 사인 정리는 10세기에 페르시아의 수학자 알코잔디(al–Khojandi, 940~1000)가 처음 증명했다.

물리군 사인 정리는 왜 성립하나요?

정교수 간단하게 증명해 보겠네.

다음 그림을 보자.

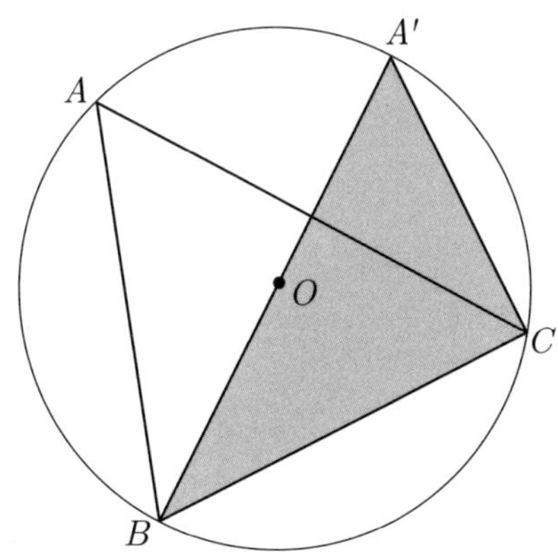

현 BC에 대한 원주각은 같으므로

각 $A =$ 각 A'

이 된다. 한편 지름 BA'에 대한 원주각 (각 C)는 직각이므로

$$BC = a = 2R\sin A'$$

이고,

$$a = 2R\sin A' = 2R\sin A$$

가 된다.

물리군 간단하군요. 삼각함수에 이렇게 오래된 역사가 있다는 건 처음 알았어요.

뉴턴의 구심력 _ 왜 달은 땅으로 떨어지지 않을까?

물리군 원운동은 원을 그리면서 빙글빙글 도는 운동을 말하는 건가요?

정교수 맞네. 이러한 원운동이 일어나려면 구심력이 필요하지 이 힘을 처음 알아낸 사람이 뉴턴이라네. 뉴턴은 『자연철학의 수학적 원리』라는 책에서 구심력이라는 단어를 처음 사용했네.

물리군 뉴턴은 어떻게 구심력을 생각하게 되었을까요?

정교수 뉴턴은 항상 '달은 왜 땅으로 떨어지지 않고 빙글빙글 도는가?'라는 의문을 품었네. 아리스토텔레스는 달이 제5원소로 이루어져 있어서 영원한 운동을 한다고 생각했지만 뉴턴은 아리스토텔레스의 생각을 믿지 않았네.

이제 뉴턴이 어떻게 원운동에 대해 생각했는지 알아보자. 다음 그림을 보자.

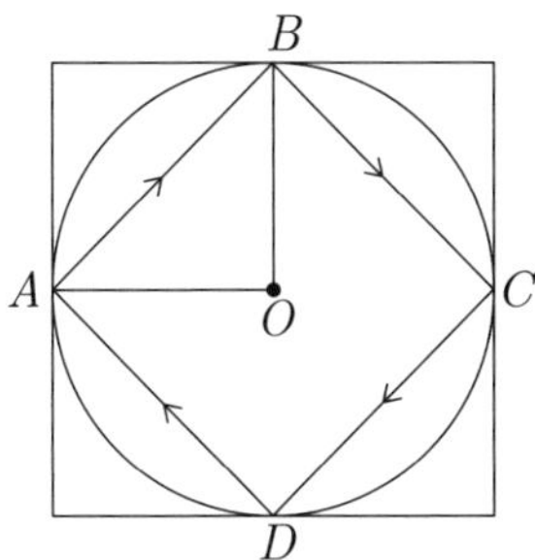

물체가 A에서 출발해 원운동으로 다시 A로 돌아오는 경우를 생각하자. 물체의 속력은 일정하다고 하자. A, B, C, D는 모두 원주 위의 점이고 O는 원의 중심이다. 그림에서처럼 A에서 B로 직선을 따라 갔다가 원 밖을 에워싸고 있는 정사각형의 벽과 충돌해 B에서 C로 직선을 따라가고 다시 벽과 충돌 후 C에서 D로 직선을 따라 갔다가 다시 벽과 충돌해 D에서 A로 직선을 따라 갔다고 생각해 보자.

물리군 직선을 따라가는 운동과 원운동이 어떤 관계가 있나요?

정교수 가장 간단하게 하기 위해서 원의 4개의 점을 연결한 정사각형을 택했네. 원에서 같은 간격으로 떨어진 더 많은 점을 택하면 정다각형이 만들어지겠지. 이때 점의 개수를 무한히 많게 하면 원이 되지. 하지만 점을 너무 많이 택하면 계산이 복잡해지니 우선 간단하게 점의 개수가 4개인 경우를 생각한 거네.

이제 A에서 B를 거쳐 C로 가는 원운동 대신 A에서 B까지 직선을 따라 갔다가 벽과 충돌해 C로 직선을 따라가는 경우를 먼저 생각해 보자. 속도의 방향은 물체가 움직이는 방향이므로 A에서 B로 직선을 따라갈 때 속도의 방향은 A에서 B로 향하는 방향이다. B에서 C로 가는 경우 속도의 방향은 B에서 C로 가는 직선 방향이다. 물체의 속력은 일정하므로 A에서 B로 갈 때 속력과 B에서 C로 갈 때의 속력은 같다. 하지만 방향이 다르므로 속도는 다르다.

A에서의 물체의 속도와 충돌 후 B에서의 물체의 속도를 그려보자. 두 화살표는 다른 방향을 향하고 있다. 하지만 속력은 같으므로 속력은 똑같이 v라고 하자.

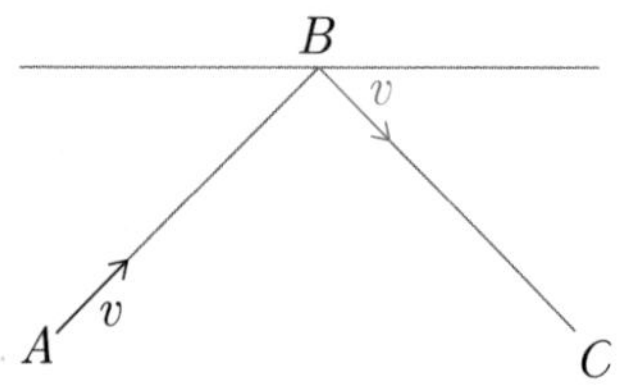

A에서 B에 갈 때 걸리는 시간을 T라고 하자. 이때의 속력이 v이고 AB의 길이는 속력과 시간의 곱과 같다. 원운동을 다루고 있으므로 AB의 길이보다는 원의 반지름으로 나타내는 것이 더 좋다. 원의 반지름을 R이라고 하자.

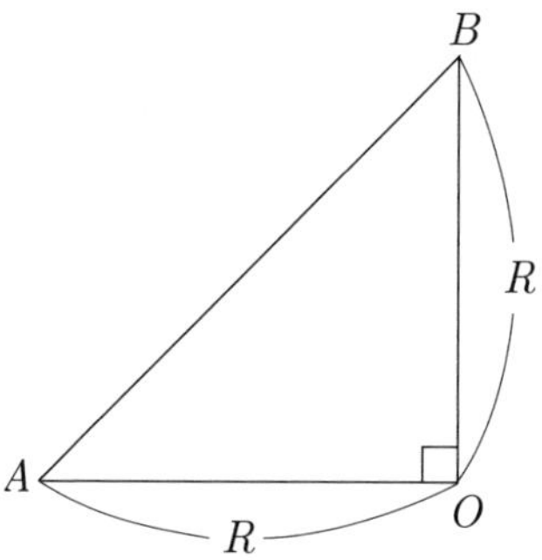

이때 삼각형 BAO는 직각이등변삼각형이다. 다음 그림을 보자.

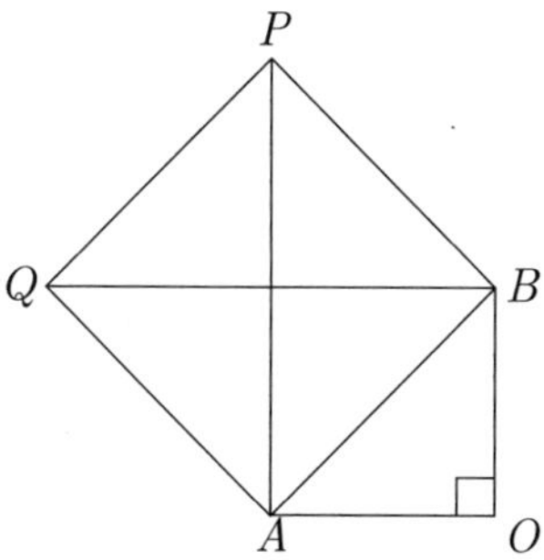

사각형 $PQAB$의 넓이는 직각삼각형 BAO의 넓이의 4배이다. 직각삼각형 BAO의 넓이는 밑변의 길이가 R이고 높이가 R이므로

$$\frac{1}{2} \times R \times R$$

이다. 따라서 사각형 $PQAB$의 넓이는

$$4 \times \frac{1}{2} \times R \times R = 2 \times R \times R$$

이 된다. 2는 $\sqrt{2}$와 $\sqrt{2}$의 곱이니까 사각형 *PQAB*의 넓이는

$$(\sqrt{2}R)^2$$

이 된다. 사각형 *PQAB*는 정사각형이니까 넓이는 *AB*의 길이의 제곱과 같다. 그러므로

$$(AB\text{의 길이의 제곱}) = (\sqrt{2}R)^2$$

이 되고,

$$(AB\text{의 길이}) = \sqrt{2}R$$

가 된다. *AB*의 길이는 속력과 시간의 곱이므로

$$\sqrt{2}R = vT$$

라고 쓸 수 있다.

물리군 여기까지는 알겠어요.

정교수 이제 속도 변화를 알아야 가속도를 구할 수 있네.

속도는 아래 그림처럼 검정 화살표에서 파랑색 화살표로 변했다. 그러므로 파랑색 화살표에서 검정 화살표를 빼야 속도 변화를 구할

수 있다. 속도는 벡터량이므로 벡터의 뺄셈 공식을 이용해야 한다. 두 화살표를 꼬리가 일치하게 평행이동시킨 다음 처음 속도의 머리에서 나중 속도의 머리로 화살표를 그리면 그것이 바로 속도 변화를 나타내는 화살표가 된다.

속도 변화 벡터 = 나중 속도 벡터 − 처음 속도 벡터

가 된다. 회색 화살표를 두 화살표의 꼬리가 일치하도록 평행이동시키면 다음과 같다.

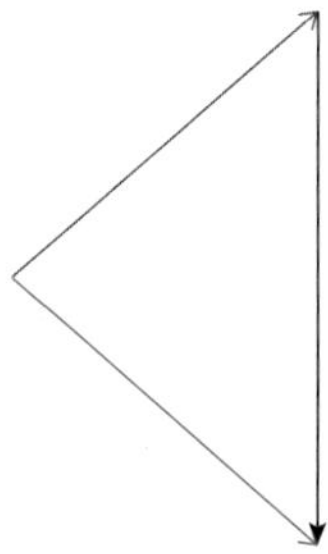

이때 검정색 화살표가 바로 속도 변화를 나타내는 벡터가 된다.

물리군 원의 중심 방향을 향하고 있군요.

정교수 그렇네. 속도 변화의 방향과 가속도의 방향은 같으니까 가속도의 방향이 원의 중심 쪽으로 향하네.

이제 가속도의 방향은 결정되었으니 크기를 구하면 된다. 3개의 화살표로 만든 다음과 같이 세 점을 L, M, N으로 나타내자.

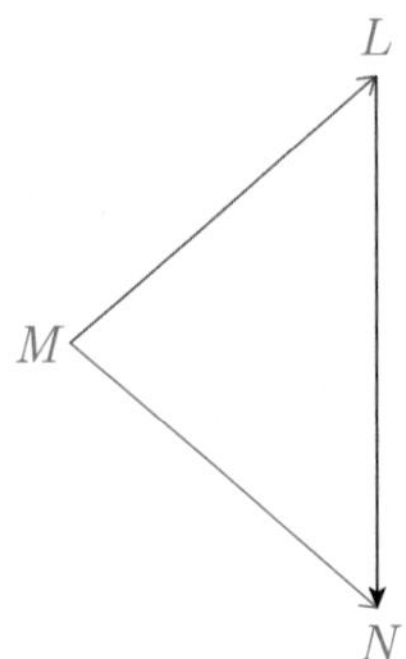

속력은 속도를 나타내는 화살표의 길이이다. 속력이 변하지 않으니까 LM의 길이와 MN의 길이는 v로 같다. $\angle LMN$은 90°로 이 삼각형은 직각삼각형이다. 그리고 두 변의 길이가 같으니까 직각이등변삼각형이다. 그렇다면 LN의 길이는 $\sqrt{2}$와 LM의 길이와의 곱이 되니 속도 변화를 나타내는 벡터의 크기는

$$\sqrt{2}\,v$$

가 된다. 속도 변화에 걸린 시간은 T이므로 이 시간 동안의 가속도의 크기를 a라고 하면

$$a = \frac{\sqrt{2}\,v}{T}$$

가 된다. $\sqrt{2}R = vT$를 이용하기 위해 우리는 분모와 분자에 똑같이 v를 곱하면

$$a = \frac{\sqrt{2}v^2}{vT} = \frac{\sqrt{2}v^2}{\sqrt{2}R} = \frac{v^2}{R}$$

라는 결과를 얻는다.

뉴턴은 물체가 원운동 대신 정사각형을 따라 움직인다고 생각하고 이 공식을 얻었다. 뉴턴은 원 위의 더 많은 점을 택해 변의 개수가 많은 정다각형을 생각해도 결과는 같다는 것을 알아냈다. 가속도는 물체가 원운동을 할 때의 속도로 방향은 원의 중심을 향하므로 이것을 구심가속도라고 부른다. 즉, 물체의 구심가속도는 물체의 속력의 제곱에 비례하고 원의 반지름에 반비례한다. 물체의 질량이 m이라면 물체가 원운동을 할 때 받는 힘은

$$ma = m\frac{v^2}{R}$$

이 되는데 이 힘을 뉴턴은 구심력이라고 불렀다. 뉴턴은 물체가 원운동을 할 때 원의 중심 방향으로 구심력이 작용한다는 사실을 알아냈다.

물리군　재미있는 공식이에요.

원운동을 위한 구심력의 크기_반지름이 작을수록 큰 운동이 필요하다

물리군 정사각형이 아니라 원을 이용해 구심력을 구할 수는 없나요?

정교수 가능하네. 이제 변위 벡터에 대해 알아보겠네.

다음 상황을 보자. 철이는 1초 동안 북쪽으로 3m를 갔다가 다음 1초 동안 동쪽으로 4m를 갔다. 또 미애는 1초 동안 북쪽으로 6m를 갔다가 다음 1초 동안 동쪽으로 8m를 갔다. 이것을 그림으로 그리면 다음과 같다.

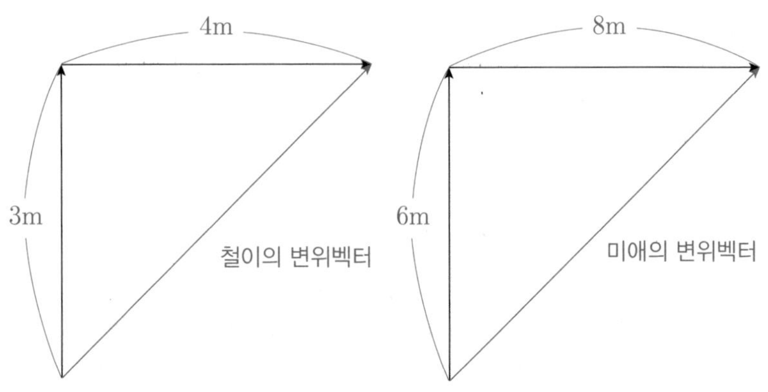

이때 처음 위치에서 나중 위치 방향으로 그린 화살표를 변위벡터로 정의한다. 두 사람의 변위벡터는 다음 그림과 같다.

미애와 철이의 변위벡터를 비교하면 다음과 같은 사실을 알 수 있다.

• 두 변위 벡터의 방향은 같다.

• 미애의 변위 벡터의 크기가 더 크다.

이때 두 사람의 평균 속도 벡터는 다음과 같이 정의된다.

$$\vec{v}_{평균} = \frac{\Delta\vec{r}}{\Delta t}$$

여기서 $\Delta\vec{r}$은 변위 벡터로 나중 위치의 위치벡터에서 처음 위치의 위치벡터를 뺀 벡터가 되며 Δt는 물체가 이동한 시간을 말한다.

이 공식을 보면 변위벡터를 시간 간격으로 나눈 것이 평균 속도 벡터이므로 변위벡터의 방향과 속도벡터의 방향이 같음을 알 수 있다. 이때 Δt가 0이 되는 극한을 취하면 순간속도 벡터 $\vec{v}$가 정의된다.

$$\vec{v} = \lim_{\Delta t \to 0} \frac{\Delta\vec{r}}{\Delta t} = \frac{d\vec{r}}{dt}$$

가속도 역시 벡터로 다음과 같이 정의된다.

$$\vec{a} = \lim_{\Delta t \to 0} \frac{\Delta\vec{v}}{\Delta t} = \frac{d\vec{v}}{dt}$$

여기서 $\Delta\vec{v}$는 나중 속도 벡터에서 처음 속도 벡터를 뺀 값으로 정의 된다.

물리군 원을 이용해 구심력을 구하려면 속도와 가속도가 벡터라는 것을 이용해야 하네요.

정교수 그렇네.

다음 그림을 보자.

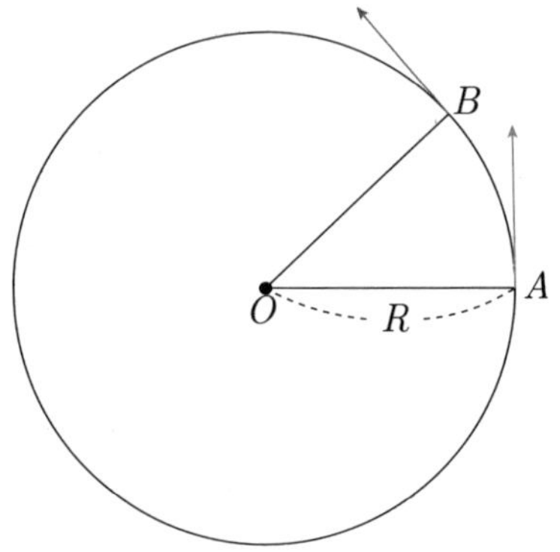

물체가 A를 출발해 시계 반대 방향으로 일정한 속력으로 원운동을 한다고 해보자. 시간 T 후에 물체가 A에 있다가 B로 갔다고 하자. 여기서 화살표는 물체의 순간속도를 나타낸다. 물체가 A에 있을 때 순간속도는 파란색 화살표로 B에 있을 때 순간속도는 검은색 화살표이다. 이렇게 물체가 곡선을 따라 움직일 때 물체의 순간속도의 방향은 접선 방향이다.

이제 속도 변화를 구해보자. 속도 변화를 구하려면 두 화살표의 꼬리가 일치하도록 붉은 화살표를 평행이동시켜야 한다.

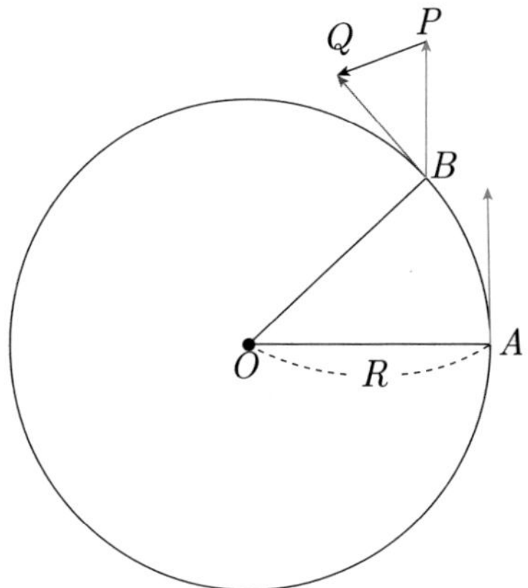

이때 검정색 화살표가 바로 속도 변화를 나타내는 벡터이다. 이제 *A*와 *B*를 잇는 직선을 그리자.

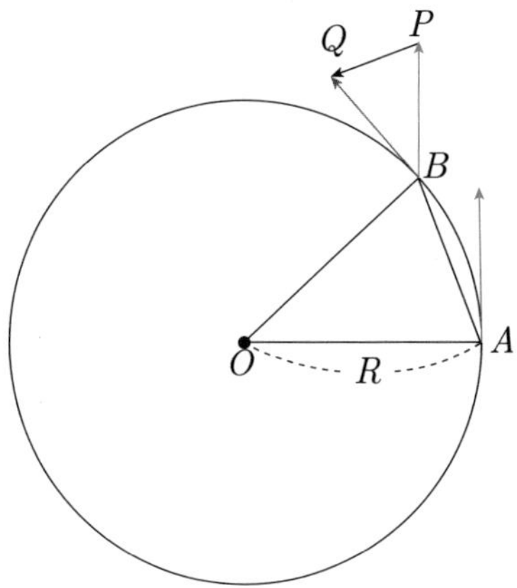

이때 삼각형 *QBP*와 삼각형 *BOA*는 닮음이다.

물리군　그건 왜죠?

정교수　삼각형 BOA를 보게. OB와 OA는 반지름이니까 그 길이는 R로 같네. 그리고 삼각형 PQB를 보면 물체의 속력이 달라지지 않으니까 처음 속력과 나중 속력은 같지. 그 속력을 v라고 하면 BQ의 길이와 BP의 길이는 모두 v로 같네.

물리군　두 삼각형이 이등변삼각형이네요. 하지만 이것만으로 두 삼각형이 닮았다고 말할 수 있나요?

정교수　물론이네. 두 변과 그 사잇각이 같아야 닮음이 되겠지.

다음과 같이 B에서 OA와 수직으로 만나는 선을 그리자.

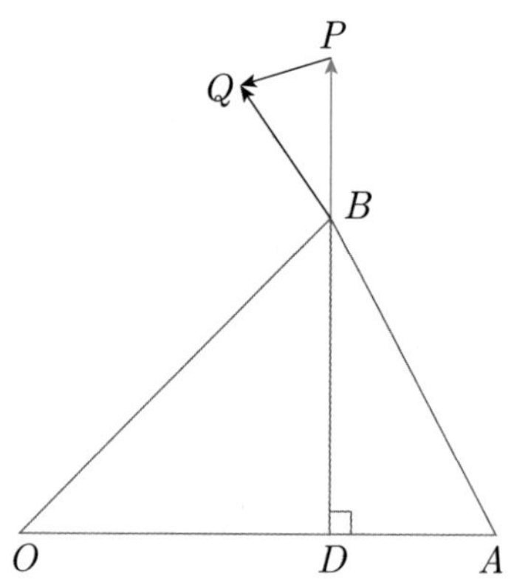

이때 P, B, D는 일직선 위에 있다. 두 삼각형이 닮음이 되려면 $\angle QBP$와 $\angle BOD$가 같아야 한다. $\angle OBQ$를 보자. OB는 원의 반지름

이고 BQ는 접선이다. 원에서 접선과 반지름은 서로 수직이기 때문에 $\angle OBQ$ 는 직각이다. 그런데 일직선은 직각의 2배므로 $\angle OBD$와 $\angle QBP$의 합은 직각이다. 그리고 삼각형 BOD를 보면 $\angle D$가 직각이어서 $\angle OBD$와 $\angle BOD$의 합도 역시 직각이 된다. 그러므로

$$\angle QBP = \angle BOD$$

가 된다.

두 삼각형이 닮음이니까 대응변의 길이의 비가 같다. PQ의 길이는 속도 변화의 크기인데 이것과 AB의 길이가 대응을 이루고 BQ의 길이는 속력 v로 원의 반지름인 OB의 길이가 대응을 이룬다. 이것을 비례식으로 쓰면

$$(PQ\text{의 길이}) : (AB\text{의 길이}) = (BQ\text{의 길이}) : (OB\text{의 길이})$$

가 된다.

$$(\text{속도 변화}) : (AB\text{의 길이}) = v : R$$

이 된다. 비례식에서 내항의 곱과 외항의 곱이 같다는 성질을 이용하면

$$(\text{속도 변화}) \times R = (AB\text{의 길이}) \times v$$

가 된다.

물리군　AB의 길이만 알면 되겠어요.

정교수　A에서 B로 갈 때까지 걸린 시간이 T이고 속력은 v로 일정하고, 거리는 속력과 시간의 곱이니

$$(AB\text{의 길이}) = v \times T$$

가 되네. 즉,

$$(\text{속도 변화}) \times R = v \times T \times v$$

가 되고, 양변을 R로 나누면

$$(\text{속도 변화}) = \frac{T \times v^2}{R}$$

이 되네.

가속도는 속도 변화를 시간으로 나눈 값으로 가속도를 a라고 하면

$$a = (\text{속도 변화}) \div T$$

가 되어

$$a = \frac{v^2}{R}$$

이 된다. 이것이 물체가 일정한 속력 v로 원운동을 할 때 가속도가 되는데 이것을 '구심가속도'라고 부른다. 구심가속도의 크기는

$\frac{v^2}{R}$ 이고, 방향은 원의 중심을 향하는 방향이다.

질량 m인 물체가 구심가속도 a를 받을 때의 힘을 구심력이라고 부르는데 구심력은

$$F = ma = m\frac{v^2}{r}$$

으로 주어진다. 즉, 질량이 m인 물체가 일정한 속력 v로 반지름 r인 속력이 일정한 원운동을 하기 위해서는 위 식과 같은 크기의 구심력이 필요하다. 구심력 공식을 잘 들여다보면 반지름이 작을수록 더 큰 구심력이 필요하고 속도가 빠를수록 더 큰 구심력이 필요하다.

각속도와 각운동량 _ 여러 자연현상을 나타낼 때에도 사용한다

정교수 원자모형을 이해하려면 각속도와 각운동량에 대해 조금 알아둘 필요가 있네. 먼저 각속도와 각가속도에 대해 이야기하겠네.

물리군 각속도요?

정교수 다음 그림과 같이 질량 m인 물체가 시간 Δt 동안 원점 O를 중심으로 $\Delta\theta$만큼 회전하는 경우를 보겠네.

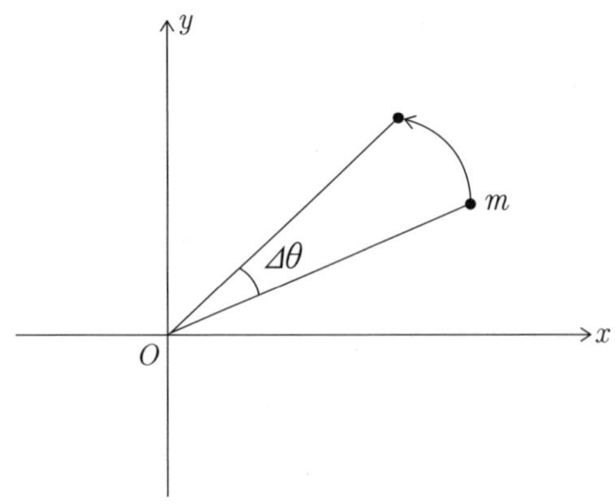

물체가 얼마나 빠르게 회전하는지를 알기 위해서는 같은 시간 동안 얼마나 각도 변화가 큰지를 알면 된다. 이렇게 각의 시간에 대한 변화율을 평균 각속도라고 부른다. 평균 각속도 w_{av}는 다음과 같이 정의한다.

$$w_{av} = \frac{\Delta\theta}{\Delta t} \tag{2-4-1}$$

이다. 시간변화 Δt가 거의 0에 가까울 정도로 작을 때 평균 각속도를 순간 각속도라고 부른다.

$$w = \frac{d\theta}{dt} \tag{2-4-2}$$

이제 물체의 각속도가 일정한 경우를 생각해 보자. 이 경우 평균 각속도와 순간 각속도는 같아지므로 둘 다 각속도라고 부르고 w라고 쓰자. 아래 그림을 보자.

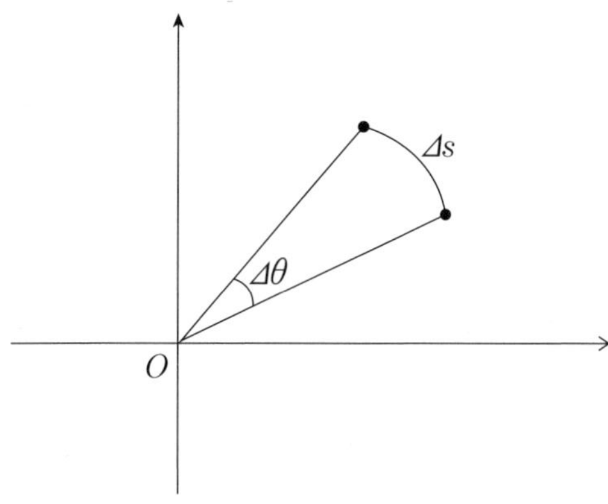

원점으로부터 거리 r만큼 떨어진 질량 m인 질점이 시간 Δt 동안 $\Delta\theta$만큼 회전하는 동안 이동한 거리를 Δs라고 하면

$$\Delta s = r\Delta\theta$$

가 된다. 물체의 속력은 이동거리를 시간으로 나눈 값이므로 물체의 속력을 v라고 하면

$$v = \frac{\Delta s}{\Delta t} = \frac{r\Delta\theta}{\Delta t} = rw$$

가 된다.

그러므로 질량이 m인 물체가 일정한 속력 v로 반지름 r인 속력이 일정한 원운동을 할 때 구심력은

$$F = m\frac{v^2}{r} = mrw^2 \qquad (2\text{-}4\text{-}3)$$

이 된다. 일정한 속력으로 원운동을 하므로 물체는 주기적인 운동을 한다. 물체가 한 바퀴 돌아오는데 걸리는 시간을 주기인 T라고 하고, 속력은 v로 일정하고 움직인 거리는 원둘레 길이인 $2\pi r$이므로 주기는

$$T = \frac{2\pi r}{v} = \frac{2\pi}{w} \qquad (2\text{-}4\text{-}4)$$

로 나타낼 수 있다.

물리군 주기는 각속도에 반비례하네요.

정교수 그렇네. 이제 회전하는 물체의 각운동량에 대해 알아보겠네.

아래 그림처럼 질량이 m인 물체가 회전축 O를 중심으로 회전하는 경우를 보자.

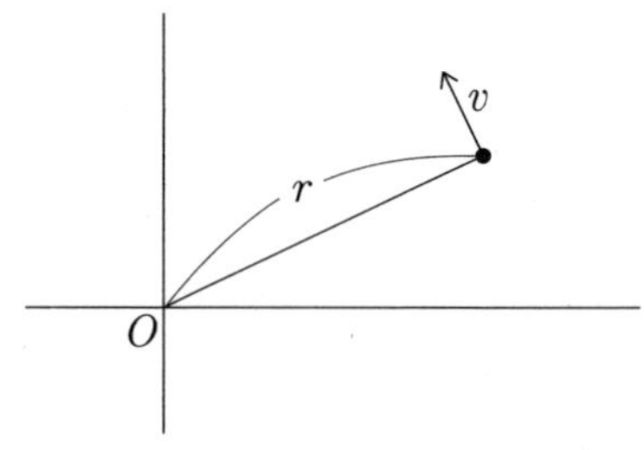

이때 물체의 속도를 v라고 하고 회전축으로부터 떨어진 거리를 r이라고 하자. 이때 속도와 r은 서로 수직이다. 회전축부터 물체까지의 거리 r과 운동량과의 곱을 각운동량이라고 부른다. 물체의 운동량은 mv이므로 물체의 각운동량 L은

$$L = mvr \tag{2-4-5}$$

이다. 일반적으로 각운동량을 정의해 보자. 다음 그림과 같이 질량 m인 물체의 위치 벡터를 $\vec{r}$이라고 하고 그 위치에서 물체의 속도 벡터를 $\vec{v}$라고 하자.

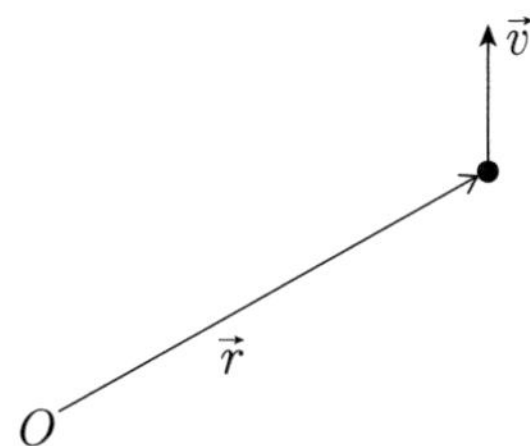

이때 이 물체의 운동량 벡터는 $\vec{p} = m\vec{v}$ 이다. 그리고 물체의 각운동량은

$$\vec{L} = \vec{r} \times \vec{p}$$

로 정의된다. 벡터의 외적의 정의로부터 각운동량의 크기는

$$L = \left|\vec{r} \times \vec{p}\right| = \left|\vec{r}\right| \left|\vec{p}\right| \sin\phi \tag{2-4-6}$$

가 된다. 여기서 ϕ는 $\vec{r}$과 $\vec{p}$가 이루는 사잇각이다.

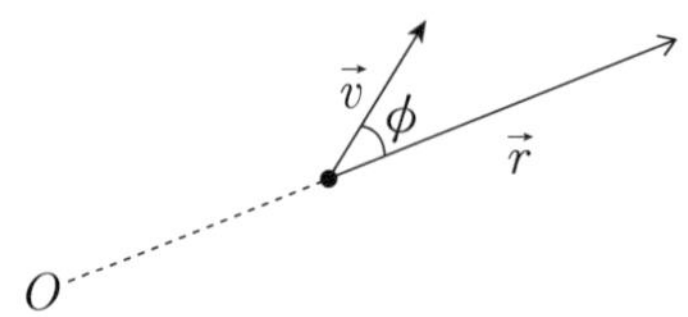

물리군 물체의 회전운동은 왜 생길까요?

정교수 물체에 작용하는 토크 때문이네. 이제 토크에 대해 생각해 보겠네.

질량을 무시할 수 있는 길이가 r줄에 질량 m인 물체가 매달려 있다고 하자. 줄은 원점 O에 고정되어 있다고 하자. 이때 아래 그림처럼 화살표 방향으로 힘 F를 작용하면 물체는 원점 O를 중심으로 반지름이 r인 원운동을 하게 된다.

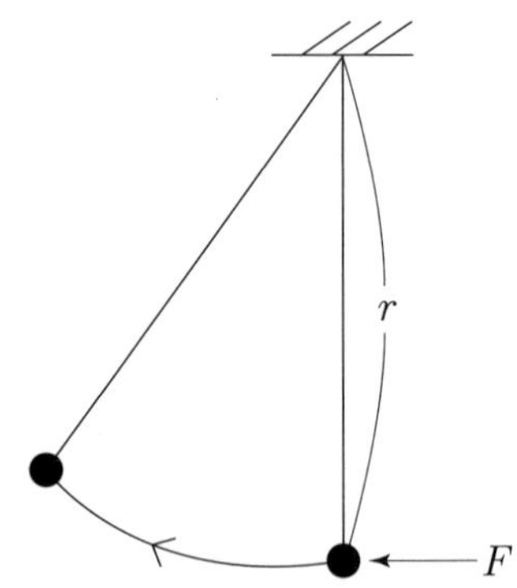

회전축으로부터 물체로 향하는 방향과 물체에 작용한 힘이 서로 수직을 이룰 때 회전축으로부터 물체까지의 거리와 힘의 곱을 토크라고 하고 τ로 나타낸다. 즉,

$$\tau = Fr$$

이 된다.

다음 그림을 보자.

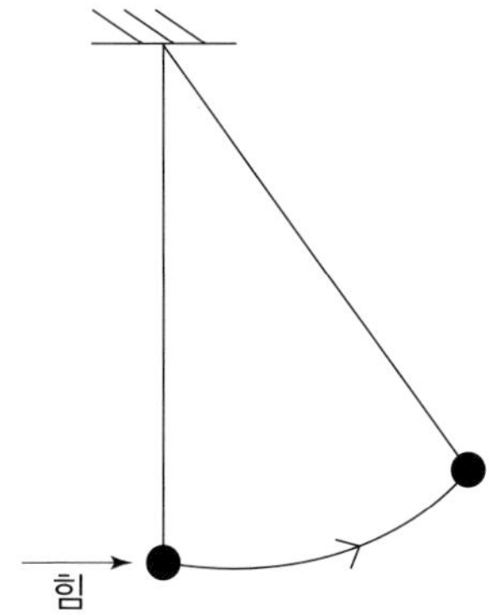

그림과 같이 물체에 힘을 작용하면 줄에 매달린 물체는 원점을 중심으로 반시계 방향으로 회전하게 된다. 앞으로 이와 같이 힘이 작용해 물체가 반시계 방향으로 회전할 때의 토크를 반시계 방향의 토크라고 정의하자. 다음 그림을 보자. 이번에는 물체가 시계 방향으로 회전한다. 이 경우 토크를 시계 방향의 토크라고 정의하자.

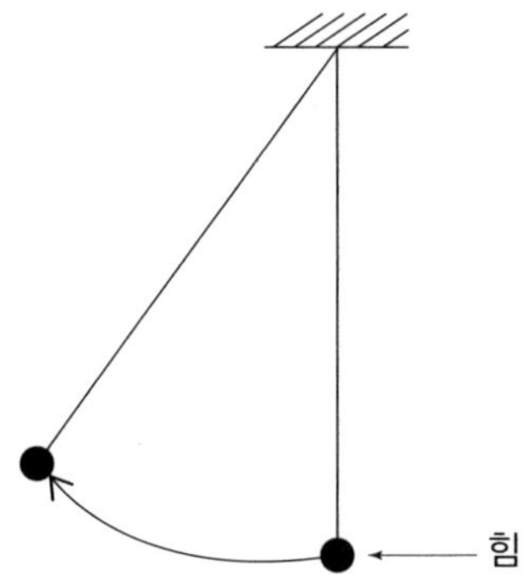

이제 각운동량과 토크 사이의 관계에 대해 알아보자. 각운동량은 속도에 비례하므로 속도가 시간에 따라 달라지면 각운동량도 시간에 따라 달라진다. 다음 그림을 보자.

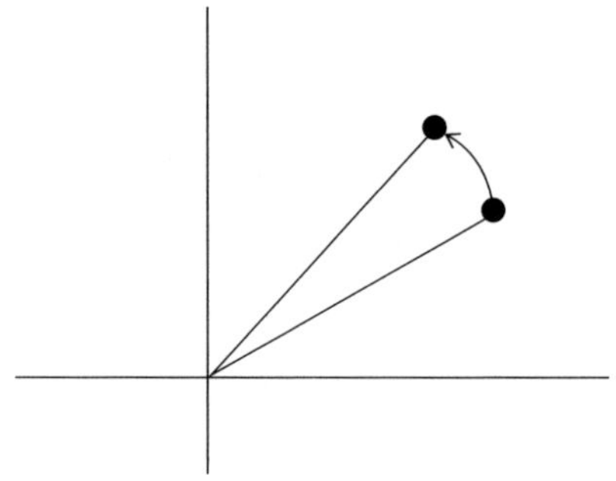

위 그림처럼 물체가 회전할 때 아주 짧은 시간 Δt 동안 물체의 속도가 Δv만큼 변했다면 이때 각운동량의 변화량 ΔL은

$$\Delta L = rm\Delta v$$

가 된다. 이 식을 시간으로 나누면

$$\frac{\Delta L}{\Delta t} = rm\frac{\Delta v}{\Delta t}$$

이 된다. 여기서 $\frac{\Delta v}{\Delta t}$는 가속도이고 질량과 가속도의 곱은 힘이므로

$$\frac{\Delta L}{\Delta t} = rF = \tau$$

가 된다. 그러므로 만일 토크가 작용하지 않으면

$$\frac{\Delta L}{\Delta t} = 0$$

이 되는데 시간에 따라서 각운동량이 변하지 않음을 의미한다. 이것을 '각운동량 보존 법칙'이라고 부른다.

- (각운동량 보존 법칙) 물체에 작용하는 토크가 0이면 물체의 각운동량은 보존된다.

물리군　조금 어렵게 느껴졌지만 잘 따라온 것 같아요.

정교수　다행이네. 이제 보어의 원자모형의 오리지널 논문을 이해할 수 있을 걸세.

물리군　네, 배운 보람이 있군요.

세 번째 만남

●

톰슨의 원자모형

원자모형의 역사 _ 토성 모형과 자두 푸딩 모형

정교수　이제 20세기 초에 등장하는 원자모형에 대한 역사 이야기를 시작해 보겠네.

물리군　돌턴의 원자모형이 바뀌나요?

정교수　돌턴은 원자가 물질을 이루며 더 이상 쪼갤수 없는 가장 작은 입자라고 생각했네. 하지만 1897년 영국의 톰슨이 음극선이 전자들의 흐름이며, 전자는 음의 전기를 띤 가장 작은 입자라는 것을 알아냈네. 이것은 돌턴이 생각한 원자가 가장 작은 입자라는 개념이 깨지게 되는 일이었지. 전자가 원자 속에 들어 있어야 하므로 원자로 이루어진 물질이 전기적으로 중성이 되기 위해서는 양의 전기를 띤 부분이 있어야 한다네.

물리학자들은 원자가 양과 음의 전기를 띤 전자로 이루어져 있다고 생각했다. 양의 전기를 띤 부분이 어떤 모습으로 생겼는가? 전자는 양의 전기를 띤 부분 속에 있는가 아니면 밖에 있는가? 하는 문제들에 관심을 보였다.

나카오카(Nagaoka, 1865~1950)

특히 1904년에는 톰슨과 일본인 최초의 물리학자인 나가오카의 원자모형이 영국 학술지 철학회보 「Philosophical Magazine」 제 7호에 나란히 실렸다.

물리군 일본이 1900년 초에 국제 학술지에 논문을 게재했다니 놀라워요.

정교수 우리나라 학자들이 첫 논문을 게재한 것보다 60년 정도 더 빨랐지.[1]

물리군 일본의 물리학은 역사가 오래되었네요.

정교수 그렇네.

오무라시에서 태어난 나가오카는 도쿄와 오사카에서 고등학교와 영어학교를 다녔다. 1882년 그는 도쿄 대학 이학부에 입학해 1887년에 물리학 박사학위를 받았다. 그 후 나가오카는 유럽의 여러 나라를 돌아다니면서 급변하는 현대물리학을 배웠다. 그는 볼츠만에게 기체운동이론을 배웠고, 1900년 파리국제물리학 회의에서는 퀴리부인의 방사선 발견 강의를 들었다. 유럽에 머무는 동안 원자모형에 관심을 기울였던 나가오카는 도쿄 대학 물리학과 교수가 된 후 1904년 양의 전기를 띤 공모양의 물체 주위를 가벼운 전자들이 돌고 있다는 원자모형을 발표했다.

1) 저자가 찾아본 자료에 의하면 1964년 미국 시카고 대학 교수인 이휘소가 쓴 논문이 최초의 한국인 논문이다. 하지만 이보다 앞서 한국인의 논문이 존재하는지에 대해서는 확인할 수 없었다.

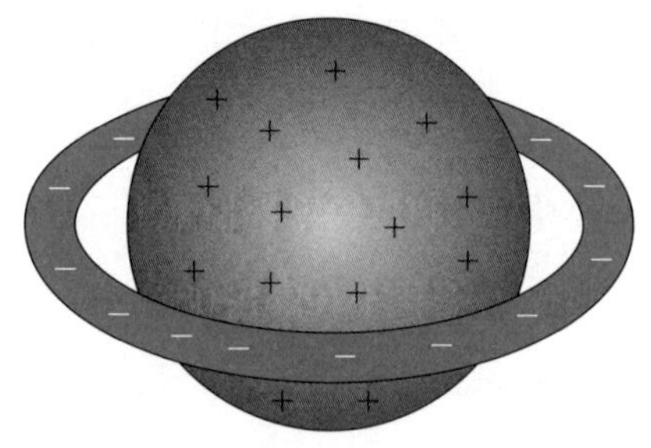

나카오카의 원자모형은 토성 주위의 작은 조각들이 토성 주위를 원운동한다. 이때 토성의 고리를 만들 듯이 양의 전기를 띤 물체 주위를 가벼운 전자들이 원운동을 하기 때문에 '토성모형'이라고 부른다.

물리군 톰슨의 원자모형과는 다른가요?

정교수 양의 전기를 띤 부분이 공모양을 이룬다는 것에는 두 사람의 모형이 일치하네. 하지만 톰슨은 나가오카와 달리 전자들이 양의 전기를 띤 공 속에 박혀 있다는 주장을 했네.

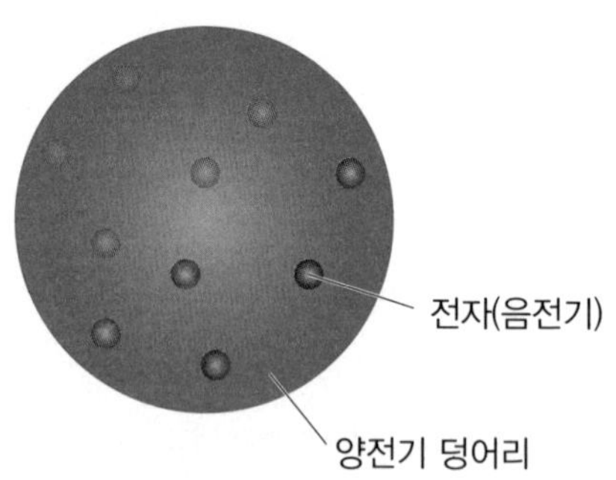

톰슨의 원자모형은 마치 자두 푸딩 속에 건포도가 박혀 있는 모습과 닮아 자두 푸딩 모형이라고도 부른다.

전기장의 세기 구하기 _ 가우스 법칙

정교수 톰슨의 원자모형을 이해하기 위해서는 전기장에 관한 가우스 법칙에 대해 조금 알아야 하네. 전하량이 Q인 전하로부터 거리 r 떨어진 곳에 전하량이 q인 전하를 놓아 보겠네.

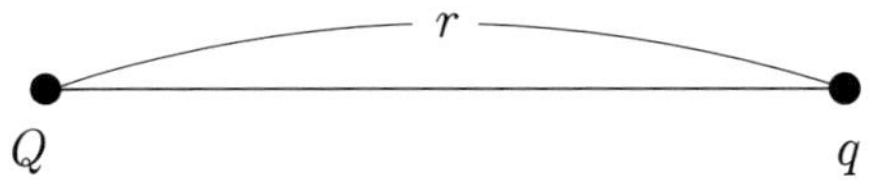

이때 두 전하 사이의 전기력을 F라고 하면 쿨롱의 법칙에 의해,

$$F = \frac{qQ}{r^2} \qquad (3\text{–}2\text{–}1)$$

가 된다. 이때 두 전하량의 부호가 같으면 척력이 작용하고 반대이면 인력이 작용한다. 물리학자들은 전기력을 다음과 같이 쓴다.

$$F = qE \qquad (3\text{–}2\text{–}2)$$

여기서 E를 전하량이 Q인 전하가 만드는 전기장이라고 부른다.

즉,

$$E = \frac{Q}{r^2} \tag{3-2-3}$$

가 된다.

물리군　전하량이 Q인 전하가 만드는 전기장은 전하로부터 멀어질수록 작아지네요.

정교수　그렇네. 거리의 제곱에 반비례하지. 여기서 수학자 가우스는 전하량이 Q인 전하를 중심으로 반지름이 r인 구를 생각했네.

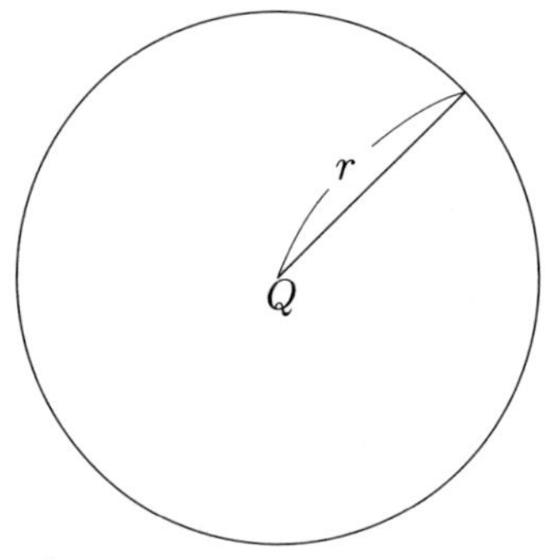

그러면 구의 표면에 있는 모든 점에서 전기장은 같아지네.

물리군　거리가 같기 때문이네요.

정교수　그렇네. 이 구의 표면적을 A라고 하면

$$A = 4\pi r^2$$

이 되네. 따라서 식(3-2-3)을 다음과 같이 쓸 수 있네.

$$EA = 4\pi Q \tag{3-2-4}$$

즉 전기장이 같아지는 점을 모두 모은 표면의 넓이에 전기장을 곱한 것은 그 표면 안에 포함된 전하량에 비례하네. 이것이 유명한 가우스 법칙이네.

이제 가우스 법칙을 이용하는 하나의 중요한 예를 알아보자. 전하량 Q가 반지름이 b인 구에 골고루 퍼져 있는 경우를 생각해 보자. 이때 중심에서 a만큼 떨어진 곳에서의 전기장의 세기를 계산해 보자. 이때 $a < b$인 경우를 생각하자.

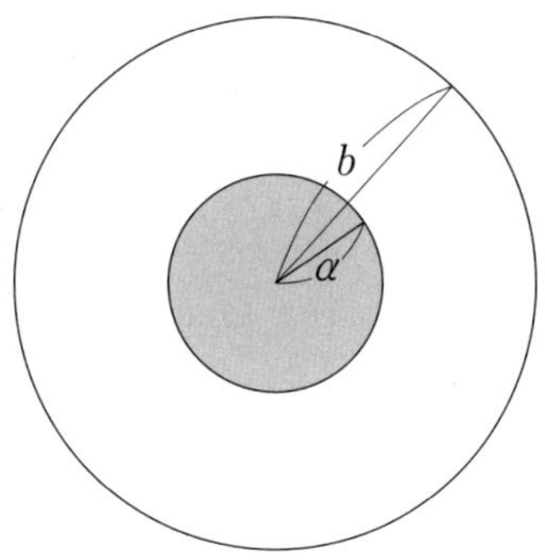

이때 반지름이 a인 구의 표면에서의 전기장의 세기를 E라고 하면

가우스 법칙으로

$$EA = 4\pi Q'$$

이 된다. 여기서 A는 반지름이 a인 구의 표면적이고, Q'은 반지름이 a인 구 속에 포함된 전하량이다. 그러므로

$$A = 4\pi a^2$$

이 된다.

물리군　Q'은 어떻게 구하나요?

정교수　전하가 골고루 퍼져 있으므로 비례식을 이용하면 되네. 반지름이 b인 구 속의 전하량이 Q이고 반지름이 a인 구 속의 전하량이 Q'이네.

각각의 구 속의 전하량은 구의 부피에 비례한다. 그러므로

$$Q:Q' = \frac{4}{3}\pi b^3 : \frac{4}{3}\pi a^3$$

이므로

$$Q' = \frac{a^3}{b^3}Q$$

가 된다. 그러니까 반지름이 a인 구의 표면에서의 전기장의 세기 E는

$$E = \frac{Qa}{b^3} \tag{3-2-5}$$

이 된다.

톰슨의 논문 속으로 _ 원자 속에 골고루 섞여 있는 전자

정교수 전자가 양의 전기를 띤 공 모양의 물체 속에 있다고 가정한 톰슨은 전자를 n개 가지고 있는 원자를 생각했네. 전자의 전하량의 크기를 e라고 하면 n개의 전자들의 총 전하량은 $-ne$가 되네. 그러므로 양의 전기를 띤 부분의 전하량은 ne가 되네.

물리군 원자는 전기적으로 중성이기 때문이네요.

정교수 그렇네. 톰슨은 돌턴처럼 원자가 공 모양이라고 생각했네. 이제 원자의 반지름을 b라고 하겠네.

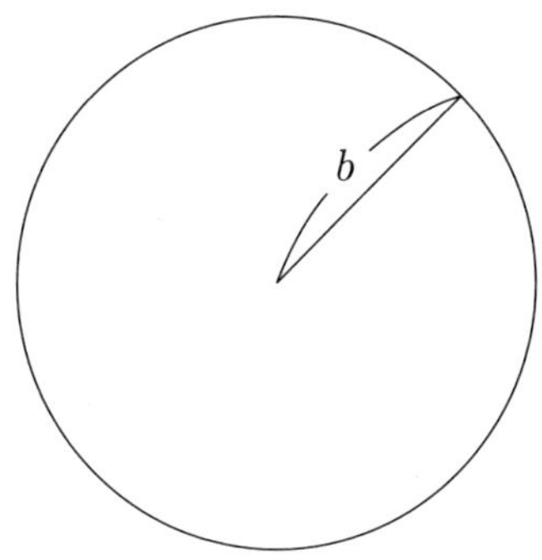

물리군 전자들은 어디에 있나요?

정교수 톰슨은 전자들이 원자 속에서 공의 중심에서 거리 a만큼 떨어진 곳에 있는 원 위에 일정한 각도 간격으로 놓여 있다고 생각했네.[2] 여기서 a는 b보다 작네.

물리군 그럼 양의 전기를 띤 부분은 어디인가요?

정교수 톰슨은 양의 전기가 원자 속에 골고루 퍼져 있다고 생각했네.

만일 전자가 3개라면 다음 그림과 같다.

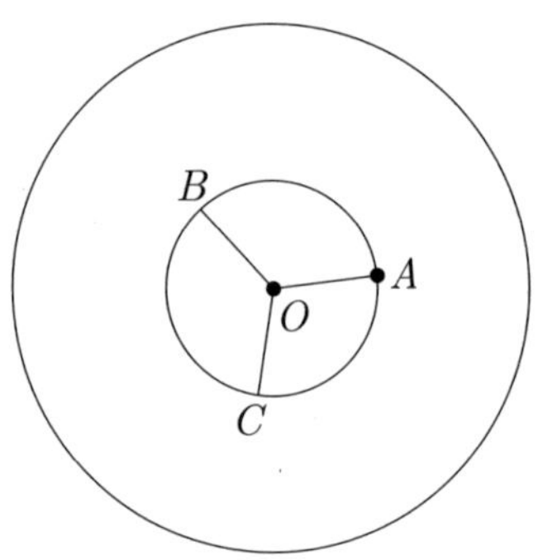

물리군 3개의 전자가 $2\pi/3$각도 만큼 떨어져 있으면 되겠어요.

2) 톰슨의 원자모형을 흔히 건포도가 박혀 있는 빵 모양으로 비유하기도 하는데 이것은 톰슨의 논문에 없는 내용이다. 이 책을 읽으면서 톰슨의 주장을 정확히 알 수 있을 것이다.

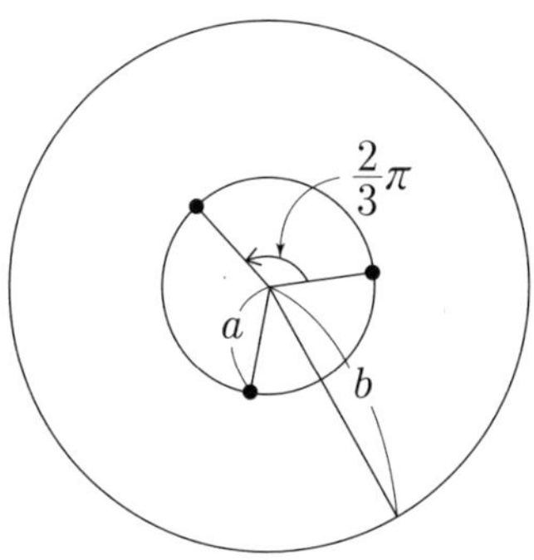

정교수 그렇네. 이제 이 세 개의 전자의 위치를 다음과 같이 나타내 보겠네.

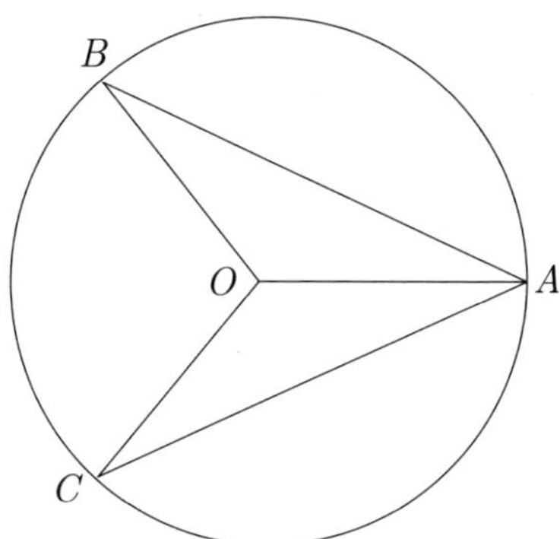

이때 A에 있는 전자가 받는 힘을 생각해 보자. 우선 양의 전기에 의한 인력을 받는다. B에 있는 전자에 의한 척력과 C에 있는 전자에 의한 척력을 받는다. 먼저 양의 전자에 의한 인력을 계산해 보자. 식 (3-2-5)에서 $Q = ne$를 넣어 A에서의 전기장의 세기 E를 구하면,

$$E = \frac{nea}{b^3} \tag{3-3-1}$$

이 된다. 따라서 양의 전기에 의해 A에 있는 전자가 받는 전기력의 크기는 eE가 된다. 이 힘은 인력이므로 $F_{인력}$이라고 쓰면

$$F_{인력} = \frac{ne^2a}{b^3} \tag{3-3-2}$$

이 된다. 이 힘의 방향은 구의 중심으로 향하는 방향이다.

물리군 이 힘과 평형을 이루는 척력은 어떻게 구하나요?

정교수 전자들끼리는 척력이 작용하네.

곧 A에 있는 전자가 받는 척력은 B에 있는 전자에 의한 척력과 C에 있는 전자에 의한 척력의 합이다.

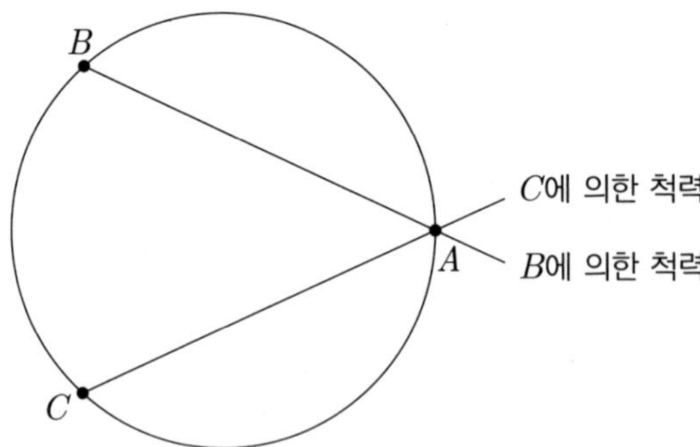

그런데 힘은 벡터이므로 두 힘의 합력은 벡터의 합으로 계산되어야 한다. 이제 B에 있는 전자에 의해 A에 있는 전자가 받는 척력을 수평방향 성분과 수직방향 성분으로 분해해 보자.

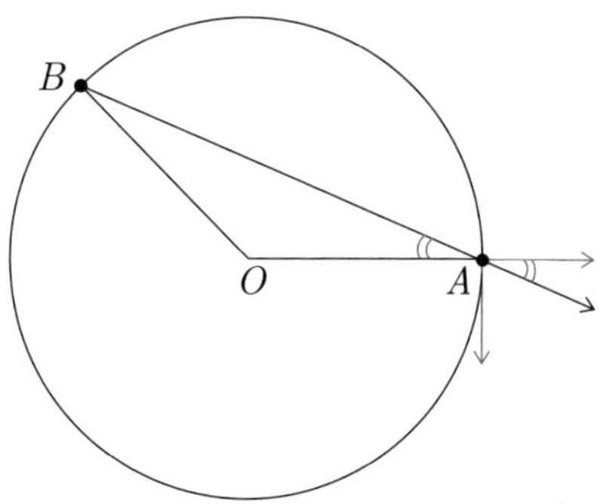

또 C에 있는 전자에 의해 A에 있는 전자가 받는 척력을 수평방향 성분과 수직방향 성분으로 분해해 보자.

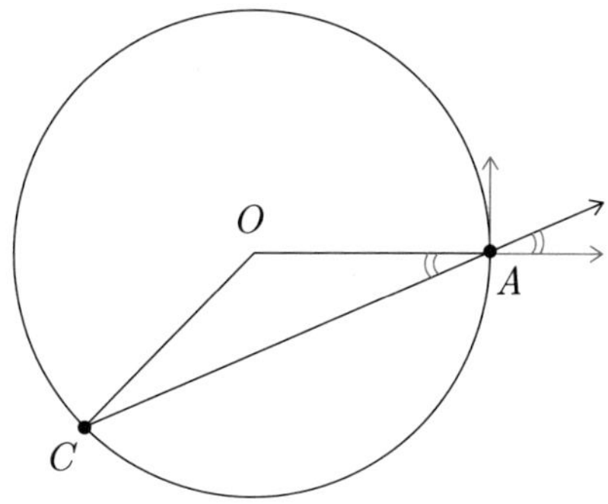

B에 있는 전자에 의해 A에 있는 전자가 받는 척력의 수직성분과 C에 있는 전자에 의해 A에 있는 전자가 받는 척력의 수직성분을 보자.

둘은 서로 반대 방향이고 크기가 같다. 서로 반대 방향이고 크기가 같은 벡터의 합은 0이므로 수직방향 성분의 합은 0이다.

물리군 왜 크기가 같나요?

정교수 다음 그림을 보게.

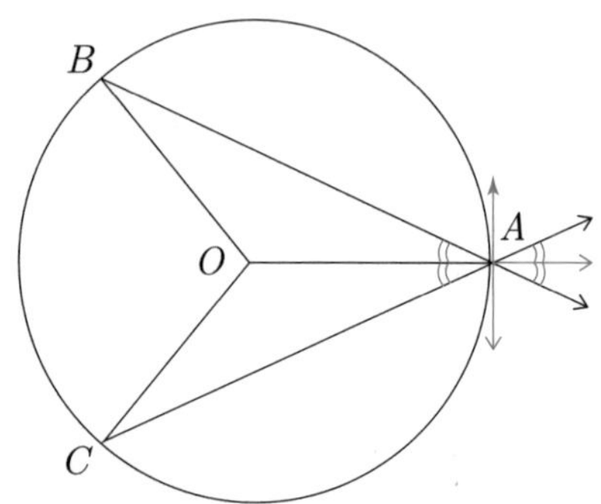

위 그림에서 A, B, C는 원을 삼등분한 점이므로

$$\angle AOB = \angle AOC$$

가 된다. 그리고 OA, OB, OC는 원의 반지름으로 같다.

$$OA = OB = OC = a$$

따라서 삼각형 ABO와 삼각형 ACO는 합동이다. 합동인 두 삼각형의 대응변의 길이는 같으므로

$$AB = AC$$

이다. 따라서 B에 있는 전자에 의해 A에 있는 전자가 받는 척력의 크기는

$$\frac{e^2}{AB^2}$$

이 되고, C에 있는 전자에 의해 A에 있는 전자가 받는 척력의 크기는

$$\frac{e^2}{AC^2}$$

이 된다. 즉, 두 척력의 크기는 같다. 또한 삼각형 ABO와 삼각형 ACO는 합동이므로 대응각의 크기가 같으므로

$$\angle OAB = \angle OAC$$

가 된다. 따라서 B에 있는 전자에 의해 A에 있는 전자가 받는 척력의 수직 성분의 크기는

$$\frac{e^2}{AB^2}\sin\angle OAB$$

가 되고, C에 있는 전자에 의해 A에 있는 전자가 받는 척력의 수직성분의 크기는

$$\frac{e^2}{AC^2}\sin\angle OAC$$

이다. 두 힘은 크기가 같고 방향이 반대이다.

물리군 그렇군요.

정교수 즉 사라지지 않고 남아 있는 것은 두 힘의 수평 방향성 뿐이네.

B에 있는 전자에 의해 A에 있는 전자가 받는 척력의 수평 성분의 크기는

$$\frac{e^2}{AB^2}\cos\angle OAB$$

가 되고, C에 있는 전자에 의해 A에 있는 전자가 받는 척력의 수평성분의 크기는

$$\frac{e^2}{AC^2}\cos\angle OAC$$

가 된다. 두 힘의 수평 방향 성분의 합은

$$2\frac{e^2}{AB^2}\cos\angle OAB$$

가 되고 방향은 원의 중심 방향과 반대 방향이다.

물리군 전자가 여러 개이면 어떻게 되나요?

정교수 톰슨은 전자 n개가 등간격으로 반지름 a인 원 위에 있는 경

우로 확장했네. 이 경우 다음 그림을 보게.

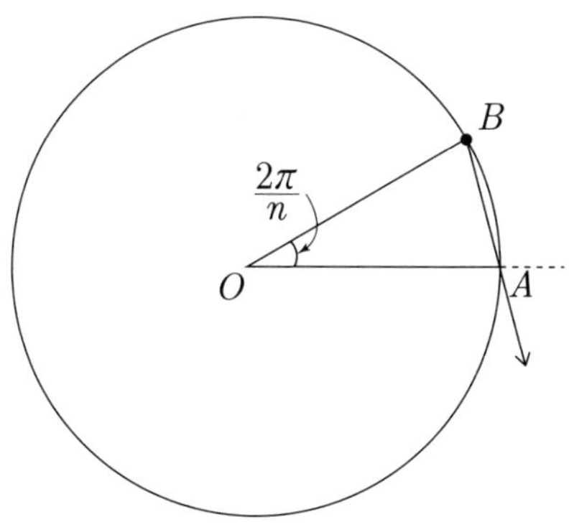

$$\angle BOA = \frac{2\pi}{n}$$

이 되네.

여기서 B는 A에서 가장 가까운 반시계 방향에 놓여 있는 전자의 위치이다. 이 경우도 역시 척력의 수평 성분만 살아 남는다. 우선 B에 있는 전자에 의해 A에 있는 전자가 받는 척력의 수평 성분은

$$\frac{e^2}{AB^2}\cos\angle OAB$$

이 된다. 일반적으로 A를 제외한 나머지 $n-1$개의 점을 나타내면 다음 그림과 같다.

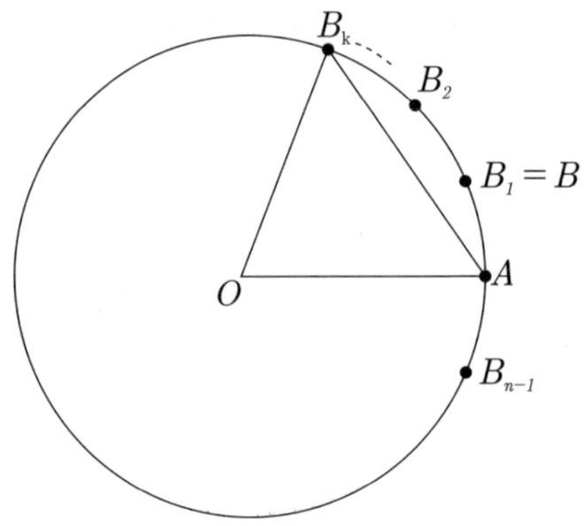

여기서 $B_1 = B$가 된다. 일반적으로 B_k에 있는 전자에 의해 A에 있는 전자가 받는 척력의 수평 성분은

$$\frac{e^2}{AB_k^2}\cos\angle OAB_k \tag{3–3–3}$$

가 되고,

$$\angle OAB_k = \frac{\pi}{2} - \frac{k\pi}{n}$$

가 된다.

물리군　AB_k는 어떻게 구하나요?

정교수　앞에서 이야기한 코사인 정리를 쓰면 되네.

코사인 정리에 의해,

$$\begin{aligned} AB_k^2 &= OA^2 + OB_k^2 - 2OA \cdot OB_k \cos\frac{2k\pi}{n} \\ &= 2a^2 - 2a^2\cos\frac{2\pi k}{n} \\ &= 2a^2\left(1-\cos\frac{2\pi k}{n}\right) \\ &= 4a^2\sin^2\frac{k\pi}{n} \end{aligned}$$

이 된다. 한편, 삼각형 OB_kA는 이등변삼각형이므로

$$2\angle OAB_k + \angle B_kOA = \pi$$

가 된다. 그러므로

$$\begin{aligned} \angle OAB_k &= \frac{1}{2}(\pi - \angle B_kOA) \\ &= \frac{\pi}{2} - \frac{k\pi}{n} \end{aligned}$$

이 되고,

$$\cos\angle OAB_k = \cos\left(\frac{\pi}{2} - \frac{k\pi}{n}\right) = \sin\frac{k\pi}{n}$$

가 된다. 그러므로 B_k에 있는 전자에 의해 A에 있는 전자가 받는 척력의 수평성분은

$$\frac{e^2}{{AB_\mathrm{k}}^2}\cos\angle OAB_\mathrm{k} = \frac{e^2}{4a^2}\csc\frac{k\pi}{n}$$

이 된다. 따라서 $n-1$개의 전자들이 A에 있는 전자에 작용하는 전기력(척력)은

$$(\text{척력}) = \sum_{k=1}^{n-1}\frac{e^2}{4a^2}\csc\frac{k\pi}{n} \qquad (3\text{–}3\text{–}4)$$

이 된다. 톰슨은

$$S_n = \sum_{k=1}^{n-1}\csc\frac{k\pi}{n}$$

이라고 두었다. 즉, 척력은

$$(\text{척력}) = \frac{e^2}{4a^2}S_n \qquad (3\text{–}3\text{–}5)$$

이 된다.

물리군 인력과 척력을 모두 구했네요.

정교수 톰슨은 먼저 전자가 움직이지 않는 경우를 생각했네.

그것은 전자에 작용하는 척력과 인력이 평형을 이루는 경우이다.

그것은

$$\frac{ne^2a}{b^3} = \frac{e^2}{4a^2}S_n$$

이므로

$$\frac{a^3}{b^3} = \frac{1}{4n}S_n$$

이다. 톰슨은 전자가 2개, 3개, 4개, 이런 식으로 변할 때 S_n의 값을 계산했다. 이것을 그래프로 그리면 다음과 같다.

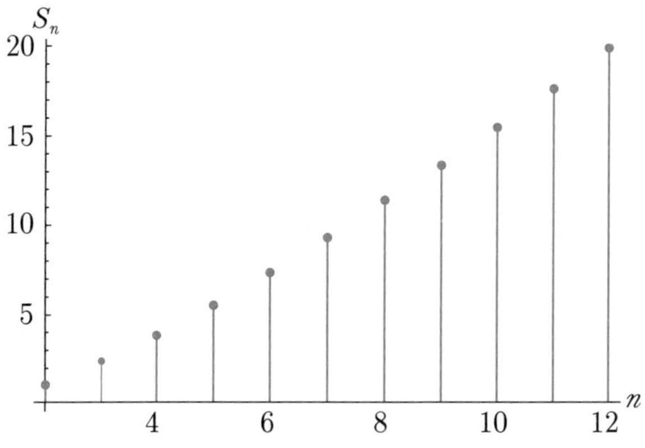

소수점 넷째 자리에서 반올림하면 다음과 같은 관계를 얻을 수 있다.

n	S_n
2	1
3	2.3094
4	3.8284
5	5.5055
6	7.3094

그러나 톰슨의 논문에서 $n=5$인 경우가 잘못되었다.[3]

n	$\frac{a}{b}$
2	0.5
3	0.5774
4	0.6208
5	0.6505
6	0.6728

전자가 두 개일 때는 전자들이 중심에서 원자의 반지름의 절반이 되는 거리에 놓여 있지만 전자의 개수가 늘어날수록 전자들이 놓여 있는 원의 반지름이 길어진다.

물리군 이 수치도 톰슨의 논문에 나온 것과 조금 다르군요.

정교수 톰슨의 시대에는 컴퓨터가 없어서 아마 삼각함수표를 이용

3) 톰슨의 논문에는 5.5056으로 되어 있다.

해서 계산했기 때문에 약간의 오차가 있을 수 밖에 없네. 중요한 것은 n이 커질수록 $\frac{a}{b}$ 의 값이 증가한다는 사실이지.

물리군 네!

정교수 톰슨은 전자가 제자리에 멈춰 있는 것이 아니라 원자의 중심 주위를 일정한 각속도로 빙글빙글 돈다고 생각했네.

이 경우, 인력과 척력의 차이가 구심력을 만들어야 한다. 이때의 각속도를 w라고 하면

$$\frac{ne^2a}{b^3} - \frac{e^2}{4a^2}S_n = maw^2$$

이 된다. 식으로 정리하면

$$\frac{na^3}{b^3} = \frac{1}{4}S_n + \frac{ma^3}{e^2}w^2$$

이 된다.

물리군 톰슨은 전기력으로 전자의 원운동을 일으키는 구심력을 구할 수 있었네요.

정교수 그렇네. 톰슨의 원자모형은 원자의 중심에서 일정 거리 떨어진 곳에 등간격으로 분포되어 있는 전자들이 원운동을 하는 모형이네. 마치 회전목마와 비슷한 운동이지.

물리군　그렇군요.

정교수　톰슨의 자신의 원자모형이 옳다고 여기고 이것을 실험할 조력자가 필요했네.

물리군　누구인가요?

정교수　자신의 제자인 러더퍼드이네. 러더퍼드는 실험에도 능하고 이론에도 박식한 물리학자였지. 톰슨은 그가 자신의 원자모형이 옳다는 것을 밝혀 줄 수 있을 거라 여겼네. 이렇게 20세기 초, 원자의 모습에 대한 인간의 탐구가 시작되었네.

네 번째 만남

●

러더퍼드의 원자모형

러더퍼드의 원자핵 _ 최초로 원자핵의 존재를 밝혀낸 모형

정교수　이제 러더퍼드의 원자모형에 대해 알아보겠네.

러더퍼드는 톰슨의 수제자였다. 1908년 3가지 종류의 방사선 연구로 노벨화학상을 받은 러더퍼드에게 톰슨은 자신이 원자모형이 옳다는 것을 입증하는 실험을 의뢰했다. 1909년 러더퍼드는 가이거, 마스덴과 함께 라듐에서 나오는 방사선을 구멍이 뚫린 납 판을 지나가게 했다.

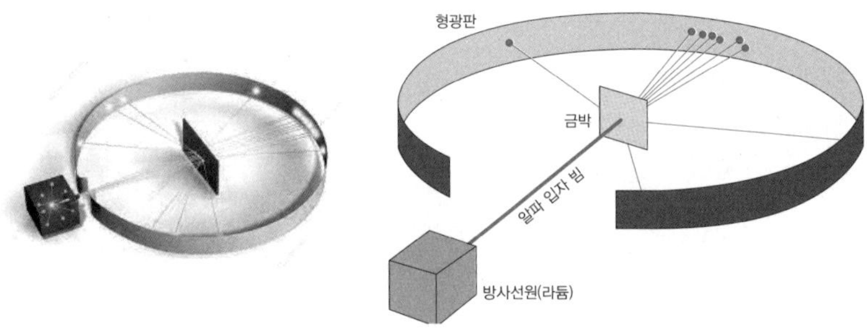

라듐은 퀴리 부인이 발견한 방사선 원소이다. 러더퍼드는 이 방사선이 알파 입자들의 흐름이라는 것을 알아냈다. 러더퍼드는 알파 입자는 양의 전기를 띠고 있고 알파 입자가 가진 전하량의 크기는 전자의 전하량의 두 배라는 것을 알아냈다.

러더퍼드와 가이거, 마스덴은 라듐을 납 상자에 넣고 상자에 작은 구멍을 만들었다. 알파 입자들은 납을 통과하지 못하므로 구멍을 통해서만 방출했다. 러더퍼드와 그의 동료들은 가는 구멍을 통해 알파 입자 빔을 만들었다. 이렇게 만들어진 가느다란 알파 입자 빔은 얇은 금박에 입사되어 황화아연으로 된 스크린에 부딪혔다. 황화아연판은 알파 입자가 부딪히면 눈에 보이는 빛을 발생시킨다. 러더퍼드와 동료들은 이 빛을 현미경으로 관찰하여 알파 입자가 얼마나 많이 휘어졌는지 연구했다.

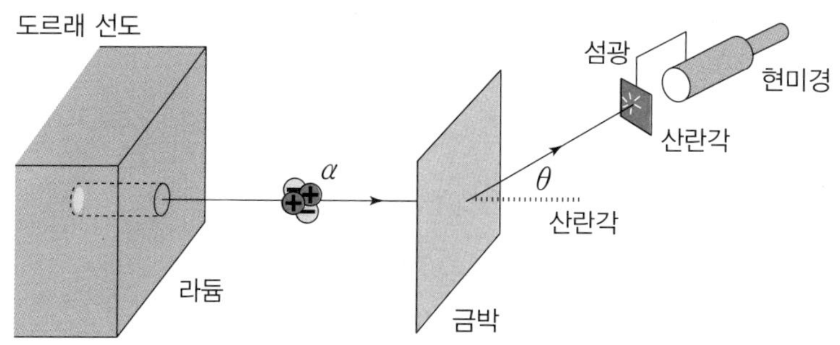

납 상자에서 나온 알파 입자들은 금박을 통과하면서 휘어졌다. 러더퍼드와 동료들은 휘어지는 각도와 그 각도에서 발견되는 알파 입자의 수를 헤아렸다. 얇은 금박은 순수한 금 원자들이 규칙적으로 배열되어 있어 원자의 구조를 밝히는 데 가장 적합했다.

이때 금 원자를 지나가는 알파 입자의 경로는 톰슨의 원자모형으로는 설명하기 곤란했다.

물리군 왜 곤란했나요?

정교수 얇은 철판에 총을 여러 번 쏘면 총알은 여기저기 철판에 구멍을 내고 지나가네.

톰슨 모델에 의하면 알파 입자가 양의 전하를 띠고 있고 원자 내부에 양의 전하가 고르게 분포되어 있으므로 원자 속의 양의 전하 부분을 알파 입자가 지나갈 때 경로가 꺾이게 된다. 그러나 전하가 고르게 분포되어 있으므로 각 지점의 전하량은 아주 작은 값이 되어 그 꺾이는 정도가 1° 정도에 불과하다. 즉, 모든 알파 입자들이 거의 직선으로 황화아연 스크린에 부딪혀야 한다.

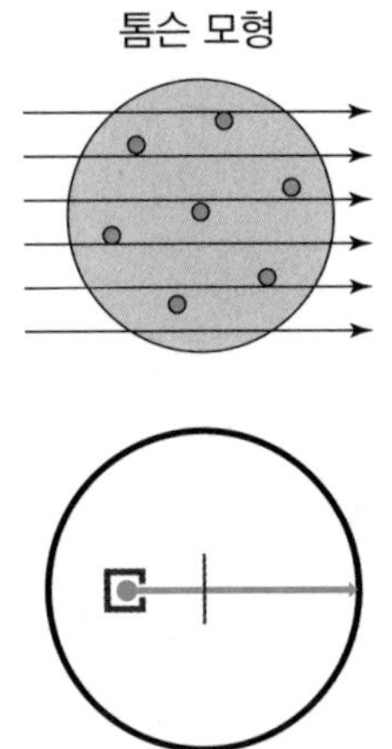

그러나 실험 결과는 이대로 나오지 않았다. 대부분의 알파 입자들은 거의 꺾이지 않았지만 몇 개는 매우 큰 각도로 꺾였고 어떤 것은

온 방향과 반대로 되돌아갔다.

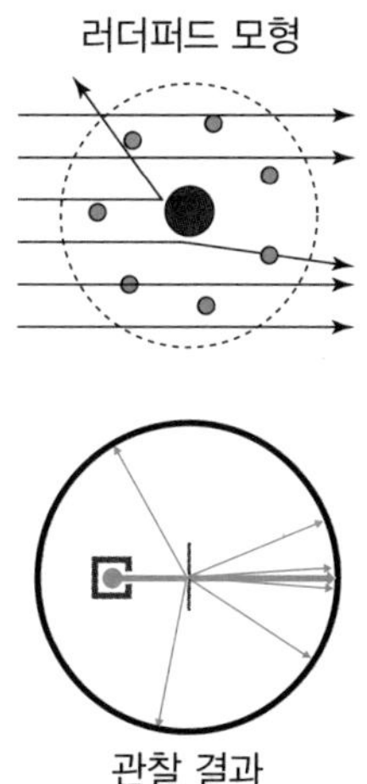

이것은 톰슨의 모형으로는 절대로 생길 수 없는 일이었다. 알파 입자의 질량이 전자에 비해 훨씬 무겁고 입사 속력이 크다는 점을 감안하면 알파 입자가 원자에 부딪혀 뒤로 되돌아가려면 원자의 어느 곳에 매우 딱딱한 부분이 있어야 한다. 또한 대부분의 알파 입자가 꺾이지 않았다는 사실은 원자의 딱딱한 부분의 크기가 매우 작다는 것을 의미한다. 러더퍼드와 동료들의 실험 결과는 다음과 같은 내용이었다.

- 원자의 중심에 입사한 알파 입자는 반대 방향으로 튕겨 나간다.
- 원자의 중심 부분에 가깝게 입사한 알파 입자는 큰 각도로 산란한다.

• 원자의 중심 부분에서 먼 곳으로 입사한 알파 입자는 거의 산란되지 않는다.

물리군 산란이 뭘까요?

정교수 어떤 입자가 힘을 받아 경로가 휘어지는 것을 말하네.

러더퍼드는 이 실험 결과를 다음과 같이 요약했다.

원자는 그 질량의 대부분이 중심의 작은 부분에 몰려 있으며 양의 전기를 띠고 있다.

러더퍼드는 이 실험으로 자신의 지도교수인 톰슨의 생각이 틀렸다는 것을 알았다. 만일 톰슨의 원자모형처럼 양의 전기를 띤 부분이 원자에 균등하게 퍼져 있다면 이렇게 큰 각도로 알파 입자가 산란되는 것을 보기 힘들기 때문이었다. 게다가 톰슨의 원자모형으로는 입사한 알파 입자가 반대 방향으로 튕겨 나가는 현상을 설명할 수 없었다.

러더퍼드는 원자의 중심 부분은 양의 전기를 띠고 있고 아주 작은 곳이며 질량은 전자의 질량에 비해 엄청나게 크다는 것을 알아냈다. 러더퍼드는 이 부분을 원자핵이라고 불렀다. 원자핵 주위를 전자들이 돌고 있는 원자모형을 만들었다.

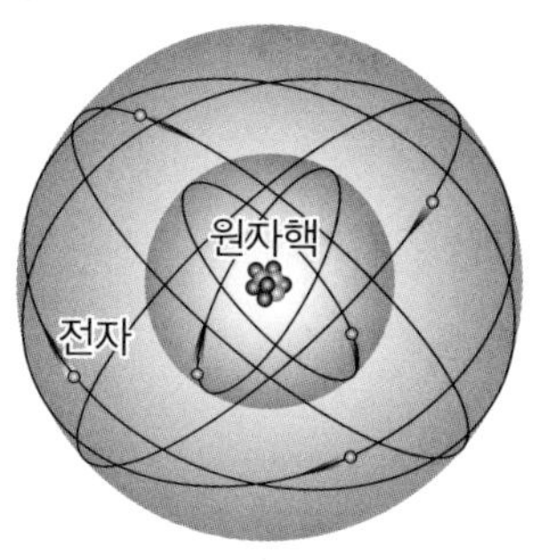

물리군 행성 주위를 위성들이 돌고 있는 모습이네요.

정교수 러더퍼드 원자모형을 행성모형이라고도 부른다네.

러더퍼드의 원자모형 _ 끈기와 노력으로 결실을 맺다

정교수 러더퍼드는 가이거와 마스덴과 함께한 알파 입자 산란 실험의 결과를 이론적으로 설명하려고 했네. 그래서 탄생한 것이 바로 러더퍼드 원자모형이네.

물리군 이론을 만드는 데는 가이거와 마스덴은 함께 하지 않았네요?

정교수 그렇네. 그래서 이론을 만든 러더퍼드의 이름을 따서 러더퍼드 원자모형이라고 불리게 되었네. 러더퍼드의 원자모형 이론은 1911년 논문에 실려 있네.

물리군 러더퍼드의 논문 내용이 궁금해요.

정교수 수식이 조금 필요하네. 먼저 러더퍼드가 원자핵의 크기를 찾은 방법을 설명하겠네.

알파 입자가 원자핵으로 입사되어 반대 방향으로 튕기는 경우를 보자.

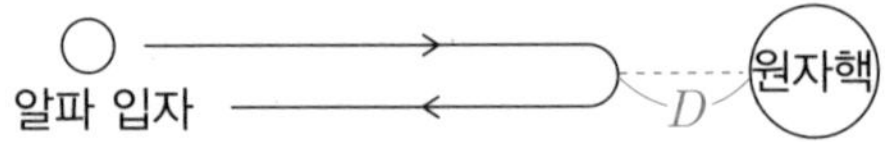

알파 입자도 양의 전기를 띠고 있고 금의 원자핵도 양의 전기를 띠고 있으므로 둘 사이의 전기력은 서로를 미는 방향이 된다. 즉 척력을 받게 된다. 그러므로 알파 입자는 금의 원자핵에서 가장 가까운 거리까지 갔다가 강한 척력 때문에 방향으로 바꾸어 원래 왔던 곳으로 가게 된다. 알파 입자가 금의 원자핵과 가장 가까워졌을 때 알파 입자와 금의 원자핵 사이의 거리를 D라고 하자.

알파 입자의 에너지는 운동에너지와 전기 퍼텐셜 에너지와의 합이다. 전하량이 q_1, q_2인 두 물체가 거리 r만큼 떨어져 있을 때 전기 퍼텐셜 에너지를 V라 하면 다음과 같이 주어진다.

$$V = \frac{q_1 q_2}{r}$$

우선 알파 입자와 금의 원자핵 사이의 거리가 r이고 이때 알파 입자의 속력을 v라고 하자. 알파 입자의 질량을 m이라고 하고, 전자의 전하량의 크기를 e라고 하면 알파 입자의 전하량의 크기는 $2e$이므로

알파 입자가 갖는 역학적 에너지는

$$E = \frac{1}{2}mv^2 + \frac{2Ze^2}{r}$$

이다. 여기서 Z는 금의 원자 번호이다. 즉 $Z = 79$이다. 알파 입자의 초기 에너지를 생각하려면 라듐이 있는 곳과 금 원자핵 사이의 거리를 r로 택해야 한다. 이 거리는 원자의 크기에 비하면 크므로 $\frac{1}{r}$은 0에 가까워진다. 그러므로 알파 입자의 초기 역학적 에너지는 운동에너지와 같다고 생각할 수 있다. 즉, 알파 입자의 초기 역학적 에너지는

$$E \approx T = \frac{1}{2}mv^2$$

이 된다. 이제 알파 입자가 핵에 가장 가까이 가는 경우를 보자. 알파 입자는 방향을 바꾸므로 순간적인 속도가 0이 된다. 일반적으로 물체가 일차원 직선운동을 하는 경우 물체가 방향을 바꾸면 그 지점에서 물체의 속도는 순간적으로 0이 된다.[4] 즉, 이때 알파 입자의 운동에너지는 0이 된다. 그러므로 알파 입자의 역학적 에너지는

$$E = \frac{2Ze^2}{D}$$

가 된다. 역학적 에너지가 보존되므로

4) 물체의 운동 방향이 반대로 바뀌는 순간 물체의 속도는 0이 된다.

$$T = \frac{2Ze^2}{D}$$

또는

$$D = \frac{2Ze^2}{T}$$

가 된다. 따라서 알파 입자의 초기 운동 에너지를 안다면 역학적 에너지 보존법칙으로부터 거리 D를 알 수 있다. 그리고 핵의 크기는 D보다 작아야 한다.

러더퍼드의 실험에서 알파 입자의 초기 운동 에너지는 7.7MeV이다. 1 MeV는 100만 eV이고 표준단위인 주울로 쓰면

$$1\ \text{eV} = 1.6 \times 10^{-19}(\text{J})$$

이다. 그러므로 알파 입자가 핵에 가장 가까이 간 거리 D는 3×10^{-14}m가 되고 금 원자핵의 반지름은 이 값보다 작아야 한다.

물리군 원자핵의 크기가 굉장히 작군요.

정교수 그렇네. 이제 알파 입자가 원자핵에서 조금 가깝게 입사하는 경우를 보겠네. 이 경우 알파 입자는 다음 그림과 같이 산란되네.

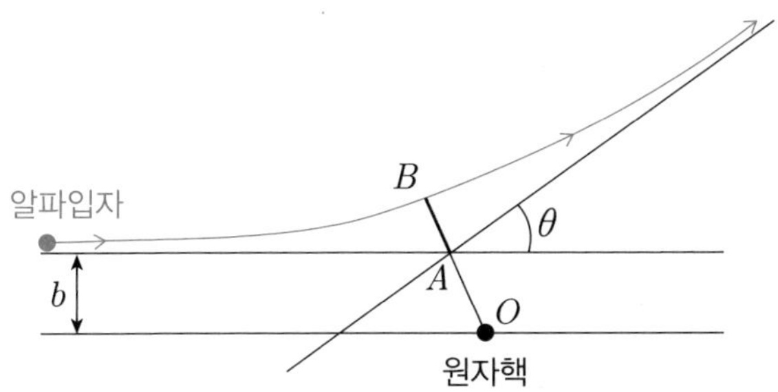

여기서 b를 충돌변수라고 부른다. 러더퍼드는 충돌변수를 변화시키면서 많은 실험 결과를 얻었다. 그림에 표시된 각 θ를 산란각이라고 하는데 러더퍼드는 충돌변수가 작아질수록 산란각이 커진다는 것을 실험을 통해 알아냈다. 위 그림에서 B는 알파 입자가 원자핵에 가장 가까운 곳에 있을 때의 위치를 나타낸다.

이제 알파 입자의 처음 입사 운동량과 산란된 후 운동량 벡터를 각각 $\vec{p_1}$, $\vec{p_2}$라고 한다.

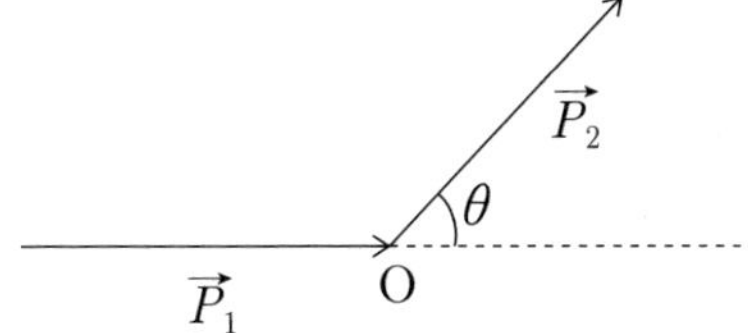

운동량의 변화량을 $\vec{q}$라고 하면

$$\vec{q} = \vec{p_2} - \vec{p_1}$$

이 된다. 이것을 그림으로 나타내면 다음과 같다.

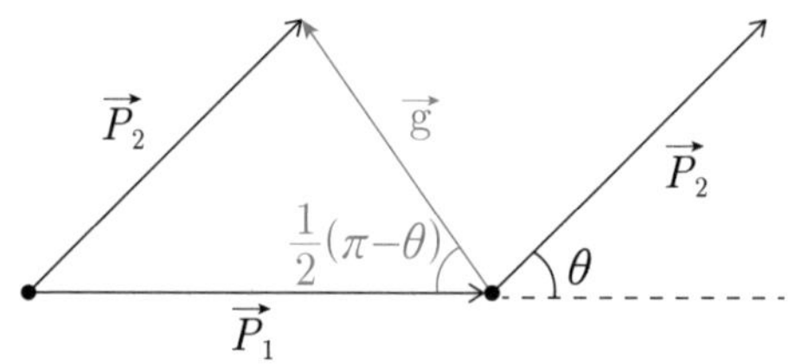

운동량은 산란 전과 산란 후 달라지지 않으므로

$$\left|\vec{p_1}\right| = \left|\vec{p_2}\right|$$

가 성립한다. 이것을 p라고 두면

$$\left|\vec{p_1}\right| = \left|\vec{p_2}\right| = p$$

가 된다. $\vec{q}$의 크기를 q라고 두면 다음과 같은 삼각형이 나타난다.

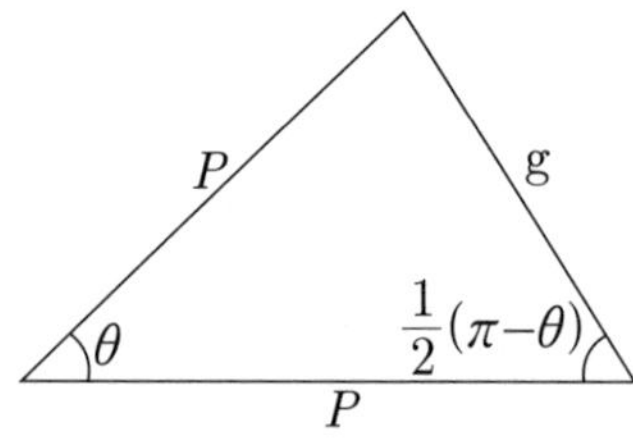

제 2강에 나온 사인 정리에 의해

$$\frac{q}{\sin\theta} = \frac{p}{\sin\left(\frac{1}{2}(\pi - \theta)\right)}$$

가 되어,

$$q = \frac{p\sin\theta}{\cos\frac{\theta}{2}}$$

가 되고,

$$\sin\theta = 2\sin\frac{\theta}{2}\cos\frac{\theta}{2}$$

이므로

$$q = 2p\sin\frac{\theta}{2} \tag{4-2-1}$$

가 된다.

이제 알파 입자가 원자핵으로부터 거리 r떨어져 있을 때 알파 입자가 받는 힘은

$$F = \frac{2Ze^2}{r^2} = \frac{TD}{r^2} \tag{4-2-2}$$

이 된다. 이제 OB의 연장선을 그려보자.

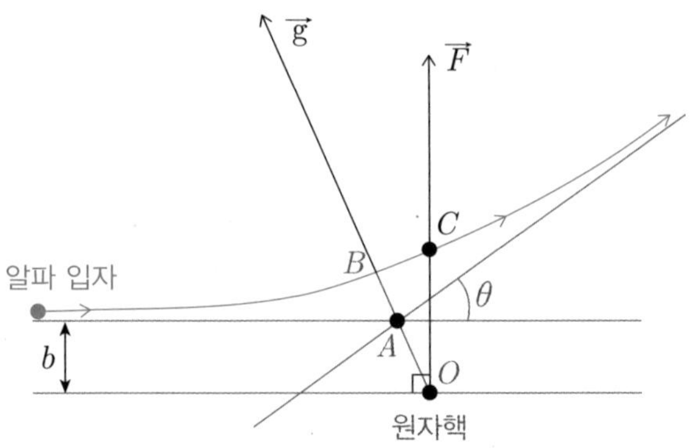

이 연장선의 방향은 운동량의 변화량인 $\vec{q}$의 방향이다.

이제 알파 입자가 점 C에 있는 경우를 보자. 이때 알파 입자가 받는 힘의 방향은 연직 위 방향이다. 이제 다음과 같이 새로운 각 ψ를 도입하자.

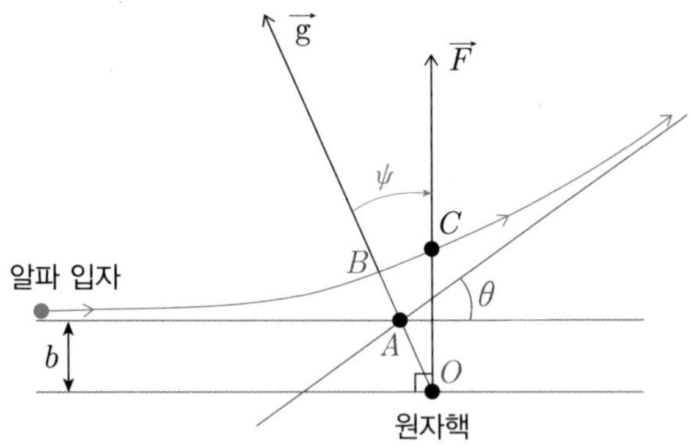

즉,

$r = \mathrm{OC}$의 길이

$\psi = \angle\mathrm{AOC}$

이다.

이제 힘 $\vec{F}$의 $\vec{q}$ 방향 성분의 크기를 F_q라고 하면

$$F_q = F\cos\psi = \frac{TD}{r^2}\cos\psi \qquad (4\text{-}2\text{-}3)$$

가 된다. 알파 입자가 움직이고 있으므로 r과 ψ는 시간에 따라 변하고 F_q도 시간에 따라 변한다. 운동량의 변화량이 $\vec{q}$ 방향이고 그 방향으로 알파 입자가 받는 힘은 F_q이므로 뉴턴의 운동법칙에 따라

$$F_q = \frac{dq}{dt} \qquad (4\text{-}2\text{-}4)$$

가 된다. (4-2-3)와 (4-2-4)로부터

$$\frac{dq}{dt} = \frac{TD}{r^2}\cos\psi \qquad (4\text{-}2\text{-}5)$$

이 되므로 양변을 시간에 대해 적분하면

$$q = \int \frac{TD}{r^2} \cos\psi dt \tag{4-2-6}$$

가 된다. 한편 C에 있던 알파 입자가 아주 짧은 시간 dt 동안 C'으로 이동했고, 이때 각도 ψ의 변화가 $d\psi$라고 하자.

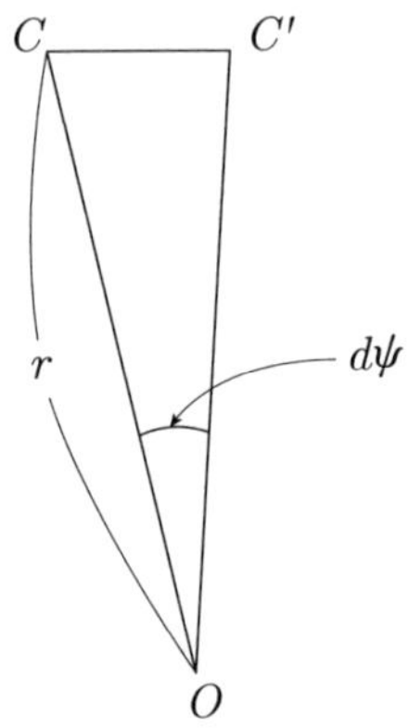

아주 짧은 시간을 생각했기 때문에 $d\psi$도 0에 가까울 정도로 작다. 그러므로 OC'의 길이와 OC의 길이와 거의 같은 r이 된다. 그러므로 알파 입자는 아주 짧은 시간 동안 반지름이 r인 원운동을 한다고 생각해도 된다. 그러므로 $\frac{d\psi}{dt}$는 원운동의 각속도가 된다. 앞에서 공부한 각운동량의 정의로 점 O에 대한 알파 입자의 각운동량은

$$L = mr^2 \frac{d\psi}{dt} \tag{4-2-7}$$

또는

$$dt = \frac{mr^2}{L} d\psi \qquad (4\text{-}2\text{-}8)$$

가 된다. (4-2-8)을 (4-2-6)에 넣으면

$$\begin{aligned} q &= \int \frac{TD}{r^2} \cos\psi \frac{mr^2}{L} d\psi \\ &= m \int \frac{TD}{L} \cos\psi d\psi \end{aligned} \qquad (4\text{-}2\text{-}9)$$

가 된다. 한편 다음 그림과 같이 알파 입자가 처음 튀어 나오는 순간의 그림을 그려보자. 알파 입자의 처음 운동량은 $\vec{P_1}$이다.

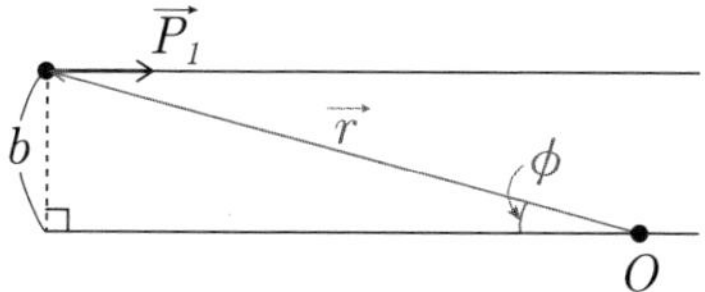

여기서 $\vec{r}$은 원자핵을 기준으로 할 때 알파 입자의 위치벡터이다. 이때 점 O에 대한 알파 입자의 각운동량의 크기는

$$L = |\vec{r} \times \vec{P_1}|$$

가 된다. 이제 두 벡터 $\vec{r}$과 $\vec{P_1}$의 사잇각을 구하기 위해 두 벡터의 끝점

을 일치시키면 다음 그림과 같이 된다.

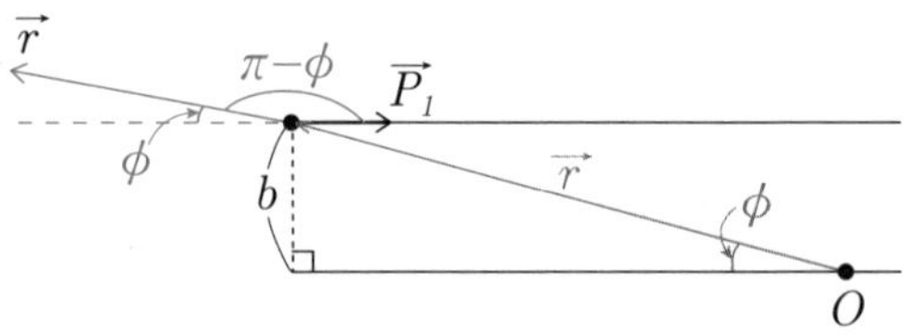

즉 두 벡터의 사잇각은 $\pi - \phi$이다. 그러므로

$$L = |\vec{r}|p\sin(\pi - \phi)$$

$$= |\vec{r}|\sin\phi \times p \qquad (4\text{–}2\text{–}10)$$

$$= bp$$

이 된다. 각운동량 보존법칙에 의해 알파 입자의 각운동량은 달라지지 않으므로

$$q = m\int \frac{TD}{L}\cos\psi d\psi = m\int \frac{TD}{bp}\cos\psi d\psi \qquad (4\text{–}2\text{–}11)$$

이 된다. 한편 초기 알파 입자의 운동에너지는

$$T = \frac{p^2}{2m} \qquad (4\text{–}2\text{–}12)$$

이므로

$$q = \int \frac{Dp}{2b} \cos\psi d\psi \tag{4-2-13}$$

이 된다. 이제 각 ψ의 범위를 알아보자. 산란각이 θ인 경우 ψ의 범위는 다음 그림과 같다.

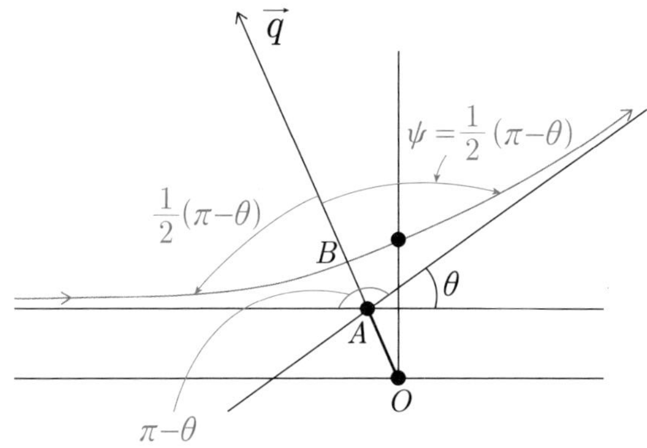

시계방향의 각도를 양수로 반시계방향의 각도를 음수로 정의하면 산란각 θ에 대해 ψ의 범위는 $-\frac{1}{2}(\pi - \theta)$에서 $\frac{1}{2}(\pi - \theta)$까지가 된다. 그러므로

$$q = \int_{-\frac{1}{2}(\pi-\theta)}^{\frac{1}{2}(\pi-\theta)} \frac{Dp}{2b} \cos\psi d\psi = \frac{Dp}{b} \sin\left(\frac{1}{2}(\pi - \theta)\right) = \frac{Dp}{b} \cos\frac{\theta}{2} \tag{4-2-14}$$

가 된다. 한편

$$q = 2p\sin\frac{\theta}{2}$$

이므로

$$2p\sin\frac{\theta}{2} = \frac{Dp}{b}\cos\frac{\theta}{2} \tag{4-2-15}$$

또는

$$\tan\frac{\theta}{2} = \frac{D}{2b} \tag{4-2-16}$$

가 된다. 이것은 실험에서 관측된 현상과 일치한다.

물리군 실험과 어떻게 일치한다는 건가요?

정교수 $\tan\frac{\theta}{2}$는 θ가 커질수록 커지는 함수이네. 이것이 b와 반비례하므로 b가 작을수록 산란각 θ가 커지고, b가 클수록 산란각 θ가 작아진다는 것을 의미하네. b가 작다는 것은 알파 입자들이 원자핵 근처로 입사되는 경우를 말하고, b가 크다는 것은 알파 입자들이 원자핵에서 먼 곳으로 입사되는 경우를 말하네. 그러므로 실험에서 보여진 것처럼 원자핵 근처로 입사된 알파 입자는 큰 각도로 산란되네.

물리군 실험 결과를 잘 보여주는 이론이네요.

정교수 그렇네. 러더퍼드의 실험은 굉장히 힘든 작업이었네. 충돌변수를 조금씩 바꾸면서 같은 실험을 반복했고, 산란된 알파 입자가 어떤 각도에서 몇 개가 발견되는지 알아야 하는 고된 작업이었네. 다행히 알파 입자의 개수를 측정하는 것은 동료인 가이거가 만든 가이거 계수기로 할 수 있었지만 이론과 실험이 일치되는지 여부를 알기 위해 러더퍼드, 가이거, 마스던은 매일매일 이 실험에 매달려야만 했네. 실험은 성공으로 끝났고 러더퍼드의 이론과 실험이 일치되는 결과를 얻었지.

물리군　대단한 업적이네요.

정교수　끈기와 노력의 결실이라고 생각하네.

다섯 번째 만남

•

보어의 원자모형

발머의 공식 _ 수소원자의 방출 스펙트럼

정교수 보어의 원자모형으로 들어가기 전에 보어의 연구에 결정적인 영향을 준 19세기의 연구를 돌아볼 필요가 있네.

물리군 어떤 연구인가요?

정교수 우선 발머의 우연한 발견에 대한 이야기를 해야겠네.

발머(Balmer, 1825~1898)

발머는 스위스의 라우젠에서 태어났네. 학창시절에 수학에 두각을 나타내었고, 독일의 칼슈르헤와 베를린 대학에서 수학을 공부했네. 1849년 스위스 바젤 대학에서 사이클로이드에 대한 연구로 박사학위를 받은 뒤, 여자 고등학교와 바젤 대학에서 강의를 했네.

1853년, 스웨덴의 물리학자 옹스트롬(Ångström, 1814~1874)이

높은 온도에서 수소원자에서 나오는 선 스펙트럼을 찾아냈네.

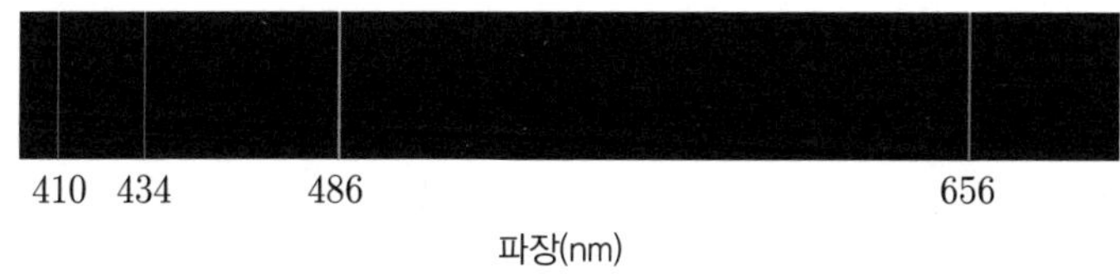

물리군　4개의 선이 보여요.

정교수　선의 위치는 짧은 파장부터 410.12nm, 434.01nm, 486.074nm, 656.21nm이네.

물리군　nm은 뭔가요?

정교수　빛은 파장에 따라서 다른 색깔로 보이게 되네. 빛의 파장은 아주 작아서 우리가 길이의 단위로 흔히 쓰는 m로 표시하면 매우 불편하네. 그래서 nm(나노미터)라는 단위를 사용하지. 1nm는 1m의 10억 분의 1이네. 가시광선의 파장은 400에서 700nm 정도이고, 400nm 정도의 빛은 보라색, 700nm 정도의 빛은 빨강색이네. 1885년 스위스의 여고 교사인 발머는 예순 가까이 된 나이에 수소의 선스펙트럼 중 가시광선 영역에 있는 4개의 선스펙트럼의 파장을 들여다보았네. 수학 교사인 발머는 이 4개의 파장을 나타내는 수열이 있는지 조사했네. 발머는 4개의 파장이 근사적으로 다음과 같이 나타낼 수 있음을 알아냈네.

$$656.21 \fallingdotseq \frac{9}{5} \times 364.56$$

$$486.074 \fallingdotseq \frac{16}{12} \times 364.56$$

$$434.01 \fallingdotseq \frac{25}{21} \times 364.56$$

$$410.12 \fallingdotseq \frac{36}{32} \times 364.56$$

물리군 신기한 관계식이네요.

정교수 더욱 놀라운 것은 4개의 파장을 다음과 같이 쓸 수 있다는 것이네.

$$656.21 \fallingdotseq \frac{3^2}{3^2 - 2^2} \times 364.56$$

$$486.074 \fallingdotseq \frac{4^2}{4^2 - 2^2} \times 364.56$$

$$434.01 \fallingdotseq \frac{5^2}{5^2 - 2^2} \times 364.56$$

$$410.12 \fallingdotseq \frac{6^2}{6^2 - 2^2} \times 364.56$$

물리군 완벽한 수열이네요.

정교수 그렇네. 파장을 λ라고 하면 4개의 파장은 다음 규칙을 만족하네.

$$\lambda = \frac{n^2}{n^2 - 2^2} \times a, \qquad n = 3, 4, 5, 6$$

이고 여기서

$$a = 364.56(nm)$$

가 되네. 이것을 우리는 발머의 공식이라고 부르네.

1888년 스웨덴의 물리학자 요하네스 리드베르그(Rydberg, 1854~1919)는 보다 더 완성된 형태의 식인 파장의 역수를 구했다. 이 식은

$$\frac{1}{\lambda} = \frac{4}{a}\left(\frac{1}{2^2} - \frac{1}{n^2}\right)$$

이 되었다. 여기서 $\frac{4}{a}$를 리드베르그 상수라고 부르고 R_H라고 쓴다.

$$R_H = \frac{4}{a} = 1.09677583 \times 10^7 \mathrm{m}^{-1}$$

이므로

$$\frac{1}{\lambda} = R_H\left(\frac{1}{2^2} - \frac{1}{n^2}\right)$$

이다. 빛의 진동수를 ν라고 하면

$$\lambda = \frac{c}{\nu}$$

가 된다. 여기서 c는 빛의 속력이다. 따라서 발머의 공식은

$$\frac{c}{\nu} = \frac{n^2}{n^2 - 2^2} \times a$$

가 된다. 이것을 진동수에 대한 식으로 나타내면,

$$\nu = \frac{4c}{a}\left(\frac{1}{2^2} - \frac{1}{n^2}\right)$$

이 된다.

물리군 수소에서 나오는 빛이 보이지 않는 빛인 경우도 있겠군요.

정교수 그렇네. 1906년 미국의 물리학자 라이만은 사진 건판을 이용해 자외선 영역의 수소의 선스펙트럼을 아래와 같이 알아냈네.

$$\frac{1}{\lambda} = R_H\left(\frac{1}{1^2} - \frac{1}{n^2}\right)$$

1908년 독일의 물리학자 파센은 적외선 영역의 수소 선스펙트럼 공식을 찾았다.

$$\frac{1}{\lambda} = R_H\left(\frac{1}{3^2} - \frac{1}{n^2}\right)$$

이 사실로 리드베르그는 수소에서 나오는 선스펙트럼이 다음 공식을 따른다는 것을 알아냈다.

$$\frac{1}{\lambda} = R_H\left(\frac{1}{m^2} - \frac{1}{n^2}\right), \qquad n = m+1, m+2, m+3, \cdots$$

이 식에서 $m=1$은 라이만, $m=2$는 발머, $m=3$는 파셴이 발견했다. 그 후 1922년 블래킷이 $m=4$인 선스펙트럼을 1924년 푼트가 $m=5$인 선스펙트럼을 발견했다.

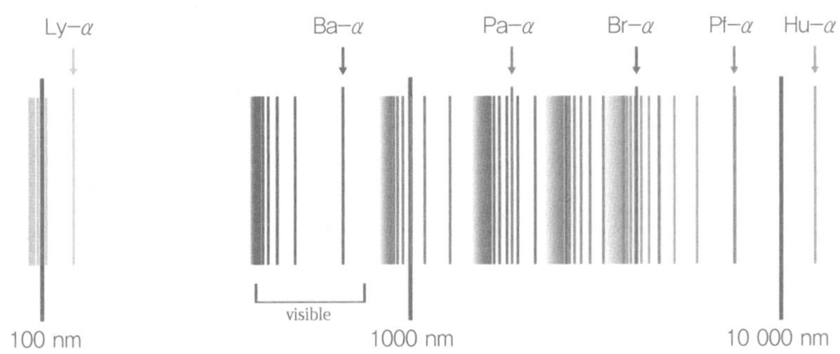

보어의 발견 _ 러더퍼드 원자모형을 뒤엎다

물리군 수소원자에서 왜 선스펙트럼이 나오나요?

정교수 러더퍼드의 원자모형으로는 이를 설명할 수 없네. 이 문제를 해결하겠다고 뛰어든 사람은 닐스 보어네.

닐스 보어(Niels Bohr, 1885~1962)

플랑크가 양자론의 초기 아이디어를 제공했다면 양자론의 틀을 세운 사람은 닐스 보어이다. 닐스 보어는 1885년 10월 7일 덴마크의 수도 코펜하겐에서 태어났다. 보어의 아버지 크리스챤 보어는 코펜하겐 대학에서 생리학을 가르쳤다.

1903년 보어는 코펜하겐 대학에 입학했다. 그는 물리학과 수학을 공부하며 철학에도 깊은 관심을 보였다. 1905년 덴마크의 과학 아카데미가 주최한 현상 논문대회에 응모하기 위해 표면장력에 관한 연구를 했다. 이 연구로 대회 금메달을 수상했다. 보어는 이 연구를 더 확장하여 1909년에 「흐름의 진동에 의한 물의 표면장력의 측정」이라는 제목의 논문을 영국 학회지에 발표했다.

1910년 보어는 '금속의 전자이론'으로 박사학위를 받고 1911년 영국 케임브리지 대학의 캐번디시 연구소를 방문해 당시 연구소 소장인 톰슨 밑에서 표면장력에 관한 연구를 했다. 하지만 톰슨의 바쁜 일정으로 보어는 큰 성과를 거두지 못했다. 그리고는 케임브리지를 떠나 맨체스터 대학에서 러더퍼드에게 원자 구조를 배우며 러더퍼드 원자모형의 문제점을 발견하고 새로운 원자모형을 만들기로 했다.

물리군 러더퍼드 원자모형에서 어떤 문제점을 찾은 건가요?

정교수 러더퍼드의 원자모형으로는 발머-리드베르그의 공식을 설명할 수 없었네. 보어는 어떻게 하면 발머-리드베르그의 공식을 원자모형을 통해 설명할 수 있을까를 궁금해했네. 그리고 러더퍼드의 원자모형을 다시 들여다보았지.

러더퍼드는 달이 지구를 돌듯이, 전자들이 원자핵을 중심으로 원운동을 한다고 생각했다. 수소원자를 생각해 보자. 수소원자는 원자핵 주위를 전자 1개가 원운동한다. 수소의 원자핵은 바로 양의 전기를 띤 양성자이다.

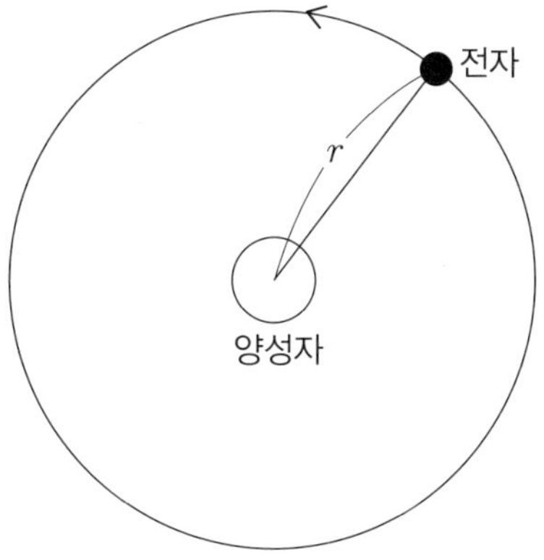

전자의 질량을 m이라고 하고, 전자의 전하량을 $-e$라고 하자. 즉, 전자의 전하량의 크기는 e가 된다. 수소원자는 전기적으로 중성이므로 양성자의 전하량은 e가 된다. 그리고 원자핵부터 전자까지의 거리를 r이라고 하고 전자가 원운동을 하는 경우를 생각해 보자.

이때 전자의 속도를 v라고 하면 전자의 에너지 E는 다음과 같이 주어진다.

$$E = \frac{1}{2}mv^2 - \frac{e^2}{r} \tag{5-2-1}$$

전자가 원자핵 주위를 원운동하려면 구심력이 존재해야 한다. 구심력은 다음과 같다.

$$(\text{구심력}) = m\frac{v^2}{r}$$

구심력 역할을 하는 것은 바로 원자핵과 전자 사이의 전기력이다. 그러므로

$$m\frac{v^2}{r} = \frac{e^2}{r^2} \tag{5-2-2}$$

이 된다. 즉

$$v^2 = \frac{e^2}{mr} \tag{5-2-3}$$

이 된다. 식 (5-2-3)을 식 (5-2-1)에 넣으면

$$E = -\frac{e^2}{2r} \tag{5-2-4}$$

이 된다.

물리군　전자가 가진 에너지가 음수가 되네요.

정교수　전자가 닫혀진 운동을 하기 때문이네.

물리군　닫혀진 운동이 뭔가요?

정교수　전자는 원자핵의 인력이 만든 구심력 때문에 원자핵으로부터 도망치지 못하고 빙글빙글 돌게 되네. 마치 달이 지구로부터 멀어지지 못하고 빙글빙글 도는 것처럼 말이네. 이렇게 다시 제자리로 되돌아오면서 운동이 주기적으로 반복되는 운동을 닫혀진 운동이라고 하네. 타원을 그리는 운동이나 원운동이 닫혀진 운동이지.

물리군　열린 운동도 있나요?

정교수　그렇네. 러더퍼드의 산란을 생각해 보겠네. 알파 입자는 양의 전기를 띠고 있고, 원자핵도 양의 전기를 띠고 있네. 알파 입자가 핵에 가까워지면 서로 같은 부호의 전기를 띠고 있으므로 척력을 받네. 그러므로 알파 입자는 원자핵 주위를 돌지 않고 궤도가 꺾이면서 다시 멀리 도망치네. 이 곡선은 쌍곡선이라는 곡선이네. 이렇게 입자가 척력을 받아서 멀리 도망치는 운동을 열린 운동이라고 부르네. 이 경우는 입자의 에너지가 양수가 되네.

물리군 그럼 원자 속의 전자는 원자핵 주위를 도는 닫힌 운동을 해야 하기 때문에 음의 에너지를 갖는군요.

정교수 그렇네.

러더퍼드의 원자모형에서 전자가 가진 에너지의 크기를 W라고 하면,

$$W = |E| = \frac{e^2}{2r} \tag{5-2-5}$$

이 된다. 즉

$$r = \frac{2W}{e^2} \tag{5-2-6}$$

이 된다. 원운동의 진동수 ν를 도입하면

$$\nu = \frac{v}{2\pi r} = \frac{e}{2\pi\sqrt{m}\,r\sqrt{r}} \tag{5-2-7}$$

이 된다. 식 (5-2-6)을 식 (5-2-7)에 대입하면

$$\nu = \frac{\sqrt{2}\,W^{3/2}}{\pi e^2\sqrt{m}} \tag{5-2-8}$$

이 된다. 러더퍼드의 원자모형에서는 전자가 가지는 에너지는 연속적이다. 또한 전기를 띤 입자가 움직이면 주변에 전자기장이 발생한다. 이것을 다른 말로 하면 전자기파가 방출된다는 것을 의미한다. 물

론 전자기파는 빛이다.

전자가 핵 주위를 원운동하면 전자는 전자기파를 방출하고, 그만큼 에너지를 잃은 전자는 속도가 느려져 원자핵이 잡아당기는 전기력을 받아 궤도의 반지름이 점점 줄어든다. 결국 핵에 붙잡히게 된다.

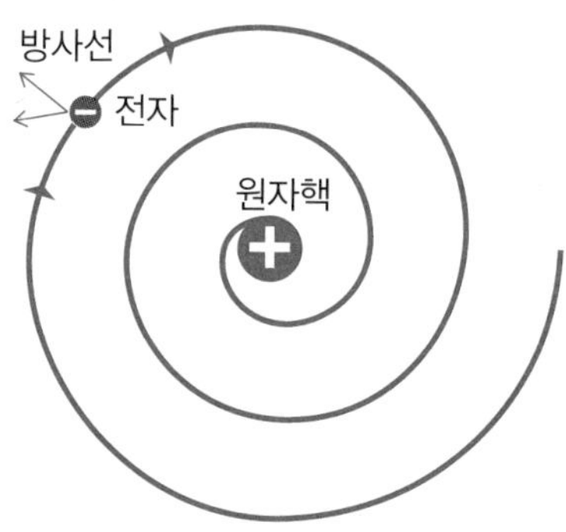

물리군 전자가 원자핵에 달라붙는다는 말인가요?

정교수 그렇네. 그런데 전자가 가진 에너지가 연속적이라면 심각한 문제가 발생하네. 그래서 닐스 보어는 새로운 이론을 만들어야 한다고 생각했고, 그 결과가 바로 보어의 원자모형이네.

보어의 논문 속으로 _ 불연속적인 에너지

정교수 보어는 러더퍼드의 원자모형 문제점을 해결하기 위해 대담한 가설을 내놓았네.

물리군 어떤 가설인가요?

정교수 전자가 가진 에너지가 불연속적이라는 가설이라네.

물리군 플랑크 가설처럼 말인가요?

정교수 그렇네. 보어는 광자뿐만 아니라 전자도 불연속적인 에너지를 갖는 양자로 보았네. 보어는 수소원자에서 전자가 가진 에너지의 크기가 다음과 같이 되는 경우를 생각했네.

$$W = \frac{1}{2} nh\nu \qquad (5\text{–}3\text{–}1)$$

여기서 n은 정수로 $n = 1, 2, 3, \cdots$이네.[5]

물리군 각각의 n에 따라 전자가 가진 에너지의 크기가 달라지네요.

정교수 에너지의 크기뿐 아니라 진동수도 각각의 n에 따라 달라지네. 이제 각각의 n에 대응되는 전자의 에너지의 크기를 W_n이라고 쓰고 진동수를 ν_n이라고 쓰겠네. 그러면

$$W_n = \frac{1}{2} nh\nu_n \qquad (n = 1, 2, 3, \cdots) \qquad (5\text{–}3\text{–}2)$$

가 되네.

물리군 전자의 허용 가능한 에너지의 크기는 수열을 이루네요.

$$W_1, W_2, W_3, \cdots$$

정교수 그렇네. 식 (5–2–8)으로부터

5) 보어의 논문에서는 ν를 w로 썼지만 현재는 진동수를 ν로 주로 나타낸다.

$$\nu_n = \frac{\sqrt{2}\, W_n^{3/2}}{\pi e^2 \sqrt{m}} \quad (n = 1, 2, 3, \cdots) \tag{5-3-3}$$

가 되네. 식 (5–3–3)에 식 (5–3–2)를 넣으면

$$\nu_n = \frac{\sqrt{2}}{\pi e^2 \sqrt{m}} \left(\frac{1}{2} nh\nu_n \right)^{3/2}$$

이 된다. 이 식에서 ν_n을 구하면

$$\nu_n = \frac{4\pi^2 me^4}{h^3 n^3} \tag{5-3-4}$$

이 된다.

물리군 진동수가 $\frac{1}{n^3}$에 비례하네요.

정교수 그렇네. 식 (5–3–4)을 식 (5–3–2)에 넣으면

$$W_n = \frac{2\pi^2 me^4}{h^2 n^2} \tag{5-3-5}$$

이 된다.

물리군 전자의 에너지의 크기가 $\frac{1}{n^2}$에 비례하네요.

정교수 그렇네. 보어는 식 (5–2–6)을 들여다보았네. 식 (5–2–6)에서 r은 핵으로부터 전자까지의 거리가 되네. 그런데 W가 n에 따라 달라지니까 r도 n에 따라 달라지지.

물리군 r도 n에 따라 변하는 r_n이 되어야 해요.

정교수 그렇네. 식 (5-2-7)는 다음과 같이 되네.

$$\nu_n = \frac{e}{2\pi\sqrt{m}\,r_n\sqrt{r_n}} \tag{5-3-6}$$

여기서 r_n을 구하면

$$r_n = \left(\frac{h}{2\pi e\sqrt{m}}\right)^2 n^2 \qquad (n = 1, 2, 3, \cdots) \tag{5-3-7}$$

이 되네.

물리군 원자핵으로부터 전자의 거리가 n^2에 비례하네요.

정교수 핵 주위에 전자가 있을 수 있는 가장 가까운 거리는 $n = 1$일 때인데 이때 거리는

$$r_1 = \left(\frac{h}{2\pi e\sqrt{m}}\right)^2 \tag{5-3-8}$$

이네.

따라서 전자는 원자핵으로 특정한 거리 떨어진 곳에 있을 수 있는데 이곳을 궤도라고 부른다. 원자핵으로부터 n번째 궤도의 반지름은

$$r_n = n^2 r_1 \quad (n = 1, 2, 3, \cdots) \tag{5-3-9}$$

이 된다.

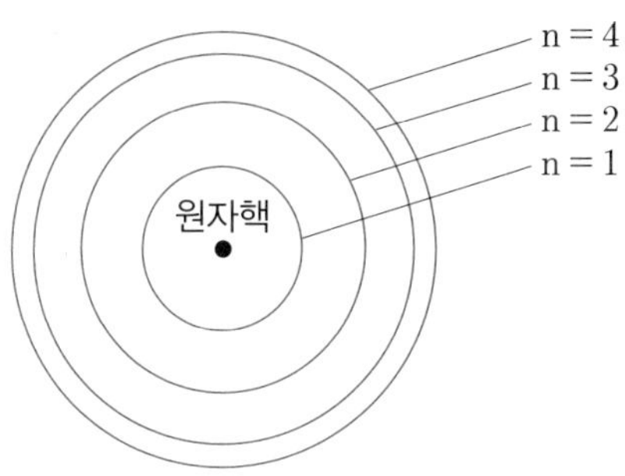

물리학자들은 보어의 업적을 기념하기 위해 $r1$를 '보어 반지름'이라고 부른다. 보어 반지름은 수소원자의 반지름인데 그 값은

$$r_1 = 5.29177210903 \times 10^{-11}(m)$$

이다. 보어의 원자모형에서는 전자의 에너지, 진동수, 궤도 반지름이 n이라는 자연수에 의해 특징 지워지는데 이 자연수를 '양자수'라고 부른다. 양자수가 1인 궤도를 K 껍질, 양자수가 2인 궤도를 L 껍질, 양자수가 3인 궤도를 M 껍질 등으로 부른다.

보어는 전자가 각 궤도에 있을 때의 에너지를 계산했다. 양자수가 n인 궤도의 전자가 갖는 에너지를 E_n이라고 하면 이 에너지는 음수이므로,

$$E_n = -W_n = -\frac{2\pi^2 me^4}{h^2 n^2} \qquad (5\text{–}3\text{–}10)$$

이 된다. 전자의 질량, 전자의 전하량, 플랑크 상수값을 넣어서 계산하면

$$E_n = -(13.6\text{eV}) \times \frac{1}{n^2} \qquad (n = 1, 2, 3, \cdots) \qquad (5\text{–}3\text{–}11)$$

이 된다.

물리군　eV는 뭔가요?

정교수　에너지를 나타내는 단위로 전자볼트라고 읽으면 되네. 1eV는 전자 1개가 1V의 전압을 받았을 때의 에너지이네. 전기를 띤 물체에 어떤 전압을 걸어주면 그 물체는 전하량과 전압의 곱으로 주어지는 에너지를 갖게 되네. 전자의 전하량은 1.6×10^{-19}(C)이므로, 1eV를 줄(J)로 바꾸면

$$1\text{ eV} = 1.6 \times 10^{-19}(\text{J})$$

이 되네.

물리군　아하!

정교수　수소원자 속 전자가 가질 수 있는 에너지를 나타내면 다음과 같네.

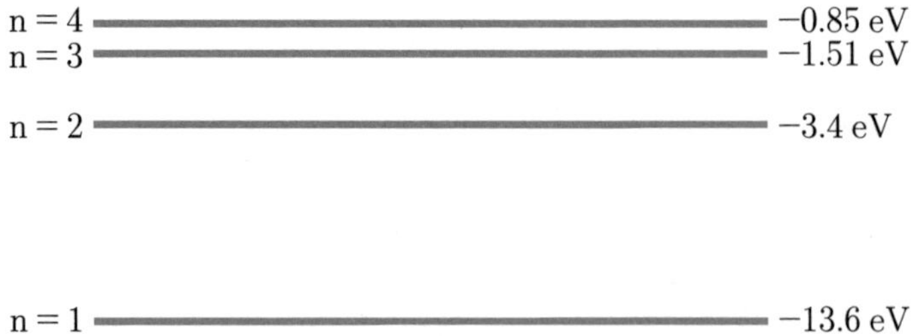

n = 4	−0.85 eV
n = 3	−1.51 eV
n = 2	−3.4 eV
n = 1	−13.6 eV

에너지 레벨

물리군　$n=1$일 때가 에너지가 제일 낮네요.

정교수　그렇네. 이 상태를 '바닥 상태'라고 부르네.

물리군　궁금한게 있어요.

정교수　뭔가?

물리군　전자가 있을 수 있는 궤도가 불연속이라고 해도 전자가 궤도를 돌면 전자기파(광자)를 방출하죠. 그러면 러더퍼드 원자모형의 문제점과 같은 문제를 가지고 있는 것은 아닐까요?

정교수　물론 전자가 높은 에너지의 궤도에 있다가 낮은 에너지의 궤도로 내려오면 광자를 방출하게 되네. 보어는 이 문제에 대해서 양자도약이라는 아이디어를 냈네.

물리군　양자도약은 뭘까요?

정교수　높은 에너지의 궤도의 전자가 광자를 방출하고 그 궤도에서 사라지는 순간 낮은 에너지의 궤도에서 나타나는 것을 말하네.

물리군　순간 이동이네요.

정교수　아래 그림을 보겠네.

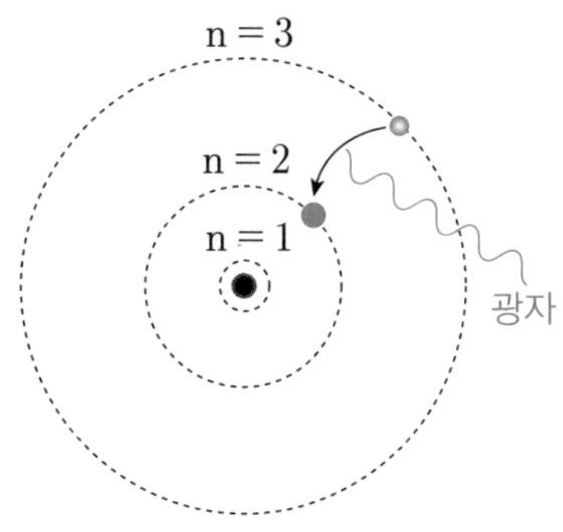

이 그림은 $n=3$인 궤도에서 $n=2$인 궤도로의 양자도약을 보여준다. $n=3$인 궤도의 전자는 광자를 방출하고 $n=2$ 인 궤도로 양자도약[6]한다. 이때 방출되는 광자의 진동수를 ν라고 하면, 에너지 보존 법칙에 따라서

$$E_3 = E_2 + h\nu$$

가 된다. 이 진동수를 $\nu_{3\to2}$라고 쓰면

$$-(13.6\mathrm{eV}) \times \frac{1}{3^2} = -(13.6\mathrm{eV}) \times \frac{1}{2^2} + h\nu_{3\to2}$$

을 만족하므로

$$\nu_{3\to2} = \frac{1}{h} \times (13.6\mathrm{eV})\left[\frac{1}{2^2} - \frac{1}{3^2}\right] \tag{5-3-12}$$

이다. 바로 발머의 공식에 나오는 선스펙트럼 공식과 일치한다.

보어의 원자모형은 수소에서 발생하는 선스펙트럼을 설명할 수 있었다. 높은 에너지의 궤도에 있던 전자가 낮은 에너지의 궤도로 양자도약하면 두 궤도의 전자의 에너지 차이를 플랑크 상수로 나눈 값에 해당하는 진동수를 가진 빛이 방출된다. 따라서 양자수 n인 궤도에서

6) 다른 말로 전이라고도 한다.

양자수 m인 궤도로 전자가 양자도약할 때 방출하는 광자의 진동수를 $\nu_{n \to m}$이라고 하면

$$\nu_{n \to m} = \frac{1}{h} \times (13.6\text{eV}) \left[\frac{1}{m^2} - \frac{1}{n^2} \right] \qquad (n > m) \tag{5-3-13}$$

이 되어, 발머-리드베르그 공식이 나온다.

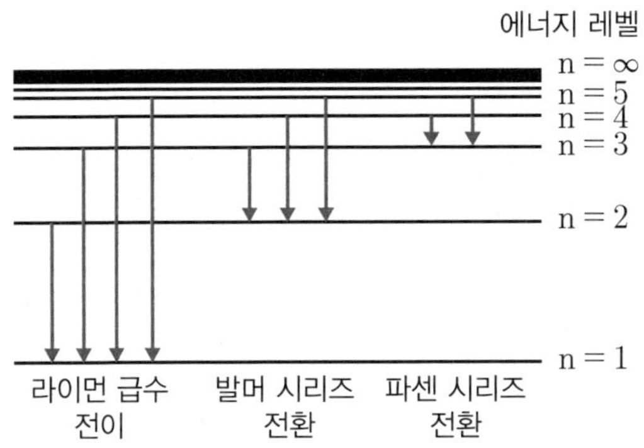

물리군 광자를 흡수하는 경우도 있겠네요.

정교수 그 경우에는 낮은 에너지 궤도의 전자가 높은 에너지 궤도로 양자도약하네.

광자를 흡수할 때에도 두 궤도의 전자의 에너지 차이를 플랑크 상수로 나눈 값의 진동수를 가진 빛으로 해야만 양자도약이 가능하다. 양자수 n인 궤도에서 양자수 m인 궤도로 전자가 양자도약할 때 흡수

하는 광자의 진동수를 $\nu_{n \to m}$이라고 하면

$$\nu_{n \to m} = \frac{1}{h} \times (13.6\text{eV}) \left[\frac{1}{n^2} - \frac{1}{m^2} \right] \qquad (n < m) \qquad \text{(5-3-14)}$$

이 된다.

물리군 광자를 흡수하고 방출하면서 전자는 여러 궤도로 양자도약을 하는군요.

정교수 그렇네.

물리군 $n = 1$ 궤도에 있는 전자가 광자를 방출하면 어떻게 되나요? 더 내려갈 궤도가 있나요?

정교수 좋은 지적이네. 보어는 $n = 1$ 궤도에 있는 전자는 광자를 흡수할 수만 있을 뿐 광자의 방출은 불가능하다는 가설을 세웠네.

물리군 그럼 전자가 원자핵에 붙잡히지 않아도 되네요.

정교수 보어의 원자모형은 발머–리드베르그 공식과 완벽하게 일치하는 이론이네.

물리군 아직도 왜

$$W_n = \frac{1}{2} nh\nu_n \qquad (n = 1, 2, 3, \cdots)$$

이라고 두었는지 이해가 잘 안돼요.

정교수 보어의 논문의 §3을 보면 알 수 있네. 보어의 계산은 §3부터

시작된 것 같네. 논문을 편집하는 과정에서 이 부분이 뒤로 밀린 것이지. 이론물리학자들은 실험과 맞는 이론을 찾기 위해 다양한 시도를 하네. 시도는 엄청난 계산을 요구하지. 그중 성공한 시도는 논문이 되네. 아마도 보어는 원자 속 전자라는 양자도 광자처럼 불연속적인 에너지를 가지고 있다고 생각했을 거네. 하지만 광자와 전자는 서로 다르기 때문에 전자와 양자가 같은 꼴의 불연속 에너지를 가지지는 않을 걸세. 이제 다시 보어의 논문 §3으로 들어가 보겠네.

보어는 전자가 가질 수 있는 에너지는 어떤 자연수 n에 의해 특징짓는다고 생각했다. 에너지가 n에 의해 어떻게 기술되는지를 아직 모르기 때문에 n의 임의의 함수 $f(n)$을 생각했다. 보어는 광자가 $nh\nu$의 에너지를 갖는다는 플랑크의 논문으로부터 수소원자속의 전자도 이와 비슷하게 자연수 n에 의해 특징 지워지는 에너지를 가질 것이라고 생각하고

$$W_n = f(n)h\nu \quad (n = 1, 2, 3) \tag{5-3-15}$$

라고 두었다. 그리고 발머-리드베르그 공식으로부터 $f(n)$를 찾으려고 했다.

이때

$$\nu_n = \frac{\sqrt{2}}{\pi e^2 \sqrt{m}} (f(n) h\nu_n)^{3/2} \tag{5-3-16}$$

이 된다. 이 식에서 ν_n을 구하면

$$\nu_n = \frac{\pi^2 me^4}{2f(n)^3 h^3} \tag{5-3-17}$$

이 되고,

$$W_n = \frac{\pi^2 me^4}{2h^2 f(n)^2} \tag{5-3-18}$$

또는

$$E_n = -\frac{\pi^2 me^4}{2h^2 f(n)^2} \tag{5-3-19}$$

이 된다.

보어는 식 (5-3-19)가 발머 공식과 일치하게 $f(n)$를 결정했다. 식 (5-3-19)로부터 양자수 n인 궤도에서 양자수 2인 궤도로 양자도약할 때 방출하는 광자의 진동수를 $\nu_{n\to 2}$라고 하면

$$\nu_{n\to 2} = \frac{\pi^2 me^4}{2h^3}\left[\frac{1}{f(2)^2} - \frac{1}{f(n)^2}\right] \tag{5-3-20}$$

이다. 보어는 이 식과 발머 공식을 비교해 $f(n)$이 n에 비례한다는 것을 알아냈다. 보어는

$$f(n) = Kn$$

이라고 놓았다. 이때 (5-3-20)은

$$\nu_{n \to 2} = \frac{\pi^2 m e^4}{2h^3 K^2}\left[\frac{1}{2^2} - \frac{1}{n^2}\right] \tag{5-3-21}$$

이 된다. 보어는 이 식과 발머-리드베르그 공식을 비교해

$$K = \frac{1}{2}$$

라는 것을 알아냈다.

물리군 이런 이야기가 있었군요.

정교수 아직 잘 모르는 것을 임의의 함수로 두고, 실험과 비교해 그 함수를 결정하는 것은 이론물리학자가 흔히 사용하는 방법이네.

에너지의 양자화 _ 원자모형으로 알아본 각운동량 양자화

정교수 이번에는 보어가 원자모형을 통해 알아낸 각운동량의 양자화에 대해 알아보겠네.

물리군 전자의 원운동으로 각운동량이 생기겠군요.

정교수 그렇네. 보어는 n번째 궤도에 있는 전자의 속도를 v_n이라고

하고 이 속도를 구했네. 식 (2–5–4)으로부터 n번째 궤도에 있는 전자의 속도는

$$\begin{aligned} v_n &= 2\pi r_n \nu_n \\ &= \frac{e^2}{n\hbar} \end{aligned} \tag{5–4–1}$$

이 되네.

물리군 전자의 속도는 n에 반비례해요.

정교수 그렇네.

보어는 n번째 궤도에 있는 전자의 각운동량을 생각했다. 전자가 n번째 궤도에 있을 때의 각운동량을 L_n이라고 하면

$$L_n = mv_n r_n = n\hbar \qquad (n = 1, 2, 3, \cdots) \tag{5–4–2}$$

이 된다. 여기서 $\hbar = \frac{h}{2\pi}$ 이다.

즉, 양자수 1인 궤도에 있는 전자의 각운동량은 $\hbar$, 양자수 2인 궤도에 있는 전자의 각운동량은 $2\hbar$, 양자수 3인 궤도에 있는 전자의 각운동량은 $3\hbar$ 이다. 이것은 전자가 가질 수 있는 각운동량으로는 $\hbar$의 정수배만 허용된다는 것을 의미한다. 이것을 보어의 각운동량의 '양자화 조건'이라고 부른다.

물리군 각운동량이 불연속이라는 것이 신기해요.

정교수 전자가 고전 입자가 아니고 양자이기 때문에 이런 일이 일어나는 거라네.

물리군 지구는 태양 주위를 원운동하지 않고, 태양이 한 초점에 있는 타원 궤도를 그린다고 배웠어요. 전자는 왜 타원운동을 하지 않죠?

정교수 그 문제를 고민한 물리학자가 있었네. 영국의 윌슨(Wilson, 1875~1965)과 독일의 조머펠트(Sommerfeld, 1868~1951)이지. 두 사람은 전자가 원이 아닌 임의의 궤도를 돌아와 닫힌 운동을 하는 경우에도 각운동량의 양자화 조건이 만족된다는 것을 알아냈네. 조머펠트는 임의의 궤도를 원자핵이 한 초점에 놓인 타원으로 택해 타원운동을 하는 전자의 경우도 양자화 조건을 만족한다는 것을 알아냈네. 이 과정에서 두 사람은 전자가 일반적인 닫힌 궤도를 돌아올 때 (5-4-2)는

$$\oint p dx = nh \qquad (5\text{-}4\text{-}3)$$

으로 바뀐다는 것을 알아냈네. 여기서 $\oint$는 궤도를 따라 한 바퀴를 도는 적분을 말하고 dx는 원주에서의 길이 요소이네.

예를 들어, 반지름이 R인 원을 따라 한 바퀴를 도는 경우

$$\oint dx = 2\pi R \qquad (5\text{-}4\text{-}4)$$

이 된다. 식 (5-4-3)을 윌슨-조머펠트 공식이라고 부른다. 이 공식을

원운동에 적용해 보자. 전자가 일정한 속력으로 반지름이 r_n인 원궤도를 도는 경우 전자의 운동량의 크기도 일정하다. 이 운동량을 p_n이라고 하면 윌슨-조머펠트 공식은

$$p_n \oint dx = nh \qquad (5\text{–}4\text{–}5)$$

가 되고, 식 (5–4–3)을 이용하면

$$p_n \times 2\pi r_n = nh$$

로 식 (5–4–2)와 일치한다.

물리군　닐스 보어의 논문은 어떤 영향을 끼쳤나요?

정교수　보어의 논문으로 과학자들은 눈에 보이지 않는 원자의 내부구조를 밝힐수 있게 되었네. 그리고 보어의 양자화 가설을 나중에 드브로이, 하이젠베르크, 보른, 요르단, 바일, 슈뢰딩거, 디랙 등에 의해 양자역학으로 발전하게 되네. 또한 보어의 궤도 모형은 주기율표를 잘 설명했기 때문에 화학 발전에도 기여했네. 또한 양자도약의 개념은 훗날 양자정보 이론에서 양자이동의 시작점이 되네. 즉 보어의 각운동량 양자화 이론은 양자역학 시대의 시작을 알리는 논문이었네.

만남에 덧붙여

THE

LONDON, EDINBURGH, AND DUBLIN

PHILOSOPHICAL MAGAZINE

AND

JOURNAL OF SCIENCE.

[SIXTH SERIES.]

MARCH 1904.

XXIV. *On the Structure of the Atom: an Investigation of the Stability and Periods of Oscillation of a number of Corpuscles arranged at equal intervals around the Circumference of a Circle; with Application of the results to the Theory of Atomic Structure.* *By* J. J. THOMSON, *F.R.S., Cavendish Professor of Experimental Physics, Cambridge* *.

THE view that the atoms of the elements consist of a number of negatively electrified corpuscles enclosed in a sphere of uniform positive electrification, suggests, among other interesting mathematical problems, the one discussed in this paper, that of the motion of a ring of n negatively electrified particles placed inside a uniformly electrified sphere. Suppose when in equilibrium the n corpuscles are arranged at equal angular intervals round the circumference of a circle of radius a, each corpuscle carrying a charge e of negative electricity. Let the charge of positive electricity contained within the sphere be νe, then if b is the radius of this sphere, the radial attraction on a corpuscle due to the positive electrification is equal to $\nu e^2 a/b^3$; if the corpuscles are at rest this attraction must be balanced by the repulsion exerted by the other corpuscles. Now the repulsion along OA, O being the centre of the sphere, exerted on a corpuscle at A by one at B, is equal to $\frac{e^2}{\mathrm{AB}^2}\cos \mathrm{OAB}$, and, if OA=OB, this is equal to $\frac{e^2}{4\mathrm{OA}^2 \sin\frac{1}{2}\mathrm{AOB}}$: hence, if we have n corpuscles arranged at equal angular intervals $2\pi/n$ round the circumference of a circle, the radial repulsion on one corpuscle

* Communicated by the Author.

due to the other $(n-1)$ is equal to

$$\frac{e^2}{4a^2}\left(\operatorname{cosec}\frac{\pi}{n}+\operatorname{cosec}\frac{2\pi}{n}+\operatorname{cosec}\frac{3\pi}{n}+\ldots\quad+\operatorname{cosec}\frac{(n-1)\pi}{n}\right).$$

If the corpuscles are at rest this must be equal to the radial attraction. Hence, if

$$S_n=\operatorname{cosec}\frac{\pi}{n}+\operatorname{cosec}\frac{2\pi}{n}+\ldots\quad\operatorname{cosec}\frac{(n-1)\pi}{n},$$

$$\frac{\nu e^2 a}{b^3}=\frac{e^2}{4a^2}S_n,$$

or

$$\frac{a^3}{b^3}=\frac{S_n}{4\nu}.\quad\ldots\ldots\ldots\ldots\quad(1)$$

The following are the values of S_n from $n=2$ to $n=6$.

$S_2=1$, $S_3=2{\cdot}3094$, $S_4=3{\cdot}8284$, $S_5=5{\cdot}5056$, $S_6=7{\cdot}3094$.

In the important case when $\nu=n$, *i. e.* when the positive charge on the sphere is equal to the sum of all the negative charges in the ring of corpuscles, we get by (1) the following values for a/b :—

n.	$\frac{a}{b}$.
2	·5
3	·5773
4	·6208
5	·6505
6	·6726

If the ring of corpuscles, instead of being at rest, is rotating with an angular velocity ω, the condition for steady motion is

$$\frac{\nu e^2 a}{b^3}=ma\omega^2+\frac{e^2}{4a^2}S_n,$$

or

$$\frac{\nu a^3}{b^3}=\frac{m}{e^2}\omega^2+\frac{S_n}{4};$$

here m is the mass of a corpuscle.

We shall now proceed to find the forces acting on a corpuscle when the corpuscles are slightly displaced from their positions of equilibrium. Let the position of the corpuscles be fixed by the polar coordinates r and θ in the plane of the undisturbed orbit, and by the displacement z at right angles to this plane ; let r_s, θ_s, z_s be the coordinates of the sth corpuscle ; then, since the corpuscles are but slightly displaced from their positions of equilibrium, $r_s=a+\rho_s$ where ρ_s is small compared with a, z_s is also small compared with a, and $\theta_s-\theta_{s-1}=\frac{2\pi}{n}+\phi_s-\phi_{s-1}$, where n is the number of corpuscles and the ϕ's are small quantities.

The radial repulsion exerted by the sth corpuscle on the pth is equal to

$$-e^2 \frac{d}{dr_p} \frac{1}{(r_p^2+r_s^2-2r_pr_s\cos(\theta_s-\theta_p)+(z_p-z_s)^2)^{\frac{1}{2}}};$$

expanding this, retaining only the first powers of ρ, ϕ, and z, we find that if R_{ps} is this repulsion

$$R_{ps}=\frac{e^2}{4a^2\sin\psi}\left\{1-\frac{\rho_p}{a}\left(\frac{3}{2}-\frac{1}{2\sin^2\psi}\right)\right.$$
$$\left.-\frac{\rho_s}{a}\left(\frac{1}{2}+\frac{1}{2\sin^2\psi}\right)-\tfrac{1}{2}(\phi_s-\phi_p)\cot\psi\right\},$$

where $\psi=(p-s)\frac{\pi}{n}$.

The tangential force Θ_{ps} tending to increase θ_p is equal to

$$-\frac{e^2}{r_p d\theta_p}\frac{1}{\{r_p^2+r_s^2-2r_pr_s\cos(\theta_s-\theta_p)+(z_p-z_s)^2\}^{\frac{1}{2}}};$$

expanding this and retaining only the first powers of the small quantities, we get

$$\Theta_{ps}=-\frac{e^2}{4a^2}\frac{\cos\psi}{\sin^2\psi}\left\{1-\frac{3}{2}\frac{\rho_p}{a}-\frac{1}{2}\frac{\rho_s}{a}-(\phi_s-\phi_p)(\cot\psi+\tfrac{1}{2}\tan\psi)\right\}.$$

Z_{ps}, the force at right angles to the undisturbed plane of the orbit, is easily seen to be given by the equation

$$Z_{ps}=\frac{e^2}{8a^3\sin^3\psi}(z_p-z_s).$$

The total radial force R_p exerted on the pth corpuscle by all the other corpuscles, is equal to

$$\frac{e^2}{4a^2}S-\rho_p A'-\Sigma\rho_{p+s}A_{p.p+s}-a\Sigma\phi_{p+s}B_{p.p+s},$$

where
$$S=\frac{1}{\sin\frac{\pi}{n}}+\frac{1}{\sin\frac{2\pi}{n}}+\cdots\frac{1}{\sin\frac{(n-1)\pi}{n}};$$

$$A'=\frac{e^2}{4a^3}\left(\frac{3}{2}\left(\frac{1}{\sin\frac{\pi}{n}}+\frac{1}{\sin\frac{2\pi}{n}}+\cdots\frac{1}{\sin\frac{(n-1)\pi}{n}}\right)\right.$$
$$\left.-\frac{1}{2}\left(\frac{1}{\sin^3\frac{\pi}{n}}+\frac{1}{\sin^3\frac{2\pi}{n}}+\cdots\frac{1}{\sin^3\frac{(n-1)\pi}{n}}\right)\right);$$

S 2

$$A_{p.p+s}=\frac{e^2}{8a^3}\left(\frac{1}{\sin\frac{s\pi}{n}}+\frac{1}{\sin^3\frac{s\pi}{n}}\right);$$

$$B_{p.p+s}=\frac{e^3}{8a^2}\frac{\cos\frac{s\pi}{n}}{\sin^2\frac{s\pi}{n}}.$$

The coefficient of ϕ_p in the expression for R_p vanishes, since

$$\Sigma\frac{\cos\frac{s\pi}{n}}{\sin^2\frac{s\pi}{n}}=0.$$

As $A_{p.p+s}$, $B_{p.p+s}$ do not involve p, it is more convenient to use the symbols A_s and B_s for these quantities, and to write

$$R_p=\frac{e^2}{4a^2}S-\rho_pA'-\Sigma\rho_{p+s}A_s-a\Sigma\phi_{p+s}B_s.$$

The tangential force Θ_p acting on the p'th particle may similarly be written

$$\Theta_p=\Sigma\rho_{p+s}B_s-a\phi_pC+a\Sigma\phi_{p+s}C_s,$$

where

$$C=\frac{e^2}{4a^3}\left(\frac{\cos\frac{\pi}{n}}{\sin^2\frac{\pi}{n}}\left(\cot\frac{\pi}{n}+\frac{1}{2}\tan\frac{\pi}{n}\right)+\frac{\cos\frac{2\pi}{n}}{\sin^2\frac{2\pi}{n}}\left(\cot\frac{2\pi}{n}+\frac{1}{2}\tan\frac{2\pi}{n}\right)+\ldots\right),$$

$$C_s=\frac{e^2}{4a^3}\frac{\cos\frac{s\pi}{n}}{\sin^2\frac{s\pi}{n}}\left(\cot\frac{s\pi}{n}+\frac{1}{2}\tan\frac{s\pi}{n}\right);$$

while Z_p, the force at right angles to the plane of the orbit, is given by the equation

$$Z_p=z_pD-\Sigma z_{p+s}D_s,$$

where

$$D=\frac{e^2}{8a^3}\left(\frac{1}{\sin^3\frac{\pi}{n}}+\frac{1}{\sin^3\frac{2\pi}{n}}+\cdots\frac{1}{\sin^3\frac{(n-1)\pi}{n}}\right),$$

and

$$D_s=\frac{e^2}{8a^3}\frac{1}{\sin^3\frac{s\pi}{n}}.$$

The equations of motion of the pth corpuscle are

$$m\left(\frac{d^2r_p}{dt^2} - r_p\left(\frac{d\theta_p}{dt}\right)^2\right) = -\frac{\nu e^2 r_p}{b^3} + R_p \; ; \quad . \quad . \quad (\alpha)$$

$$m\left(r\frac{d^2\theta_p}{dt^2} + 2\frac{dr}{dt}\frac{d\theta_p}{dt}\right) = \Theta_p \; ; \quad . \quad . \quad . \quad . \quad . \quad (\beta)$$

$$m\frac{d^2z_p}{dt^2} = -\frac{\nu e^2}{b^3}z_p + Z_p. \quad . \quad . \quad . \quad . \quad . \quad . \quad . \quad (\gamma)$$

Retaining only the first powers of small quantities, we get from these equations, if ω is the value of $\frac{d\theta}{dt}$ when the motion is steady,

$$\frac{\nu e^2 a}{b^3} = ma\omega^2 + \frac{e^2}{4a^2}S,$$

$$m\frac{d^2\rho_p}{dt^2} - 2ma\omega\frac{d\theta_p}{dt} = \rho_p\left(m\omega^2 - \frac{\nu e^2}{b^3}\right) + R_p - \frac{e^2}{4a^2}S.$$

If ρ_p and θ_p vary as $e^{\iota qt}$, this equation may be written

$$(A - mq^2)\rho_p + A_1\rho_{p+1} + A_2\rho_{p+2} + \ldots$$
$$-2ma\omega\iota q\phi_p + aB_1\phi_{p+1} + aB_2\phi_{p+2} + \ldots = 0,$$

where

$$A = \frac{e^2}{4a^3}S + A' = \frac{e^2}{8a^3}\left\{5\left(\frac{1}{\sin\frac{\pi}{n}} + \frac{1}{\sin\frac{2\pi}{n}} + \cdots\right) - \left(\frac{1}{\sin^3\frac{\pi}{n}} + \frac{1}{\sin^3\frac{2\pi}{n}} + \cdots\right)\right\}$$

Writing 1, 2, 3 for p we get

$$\left.\begin{array}{l}
(A - mq^2)\rho_1 + A_1\rho_2 + A_2\rho_3 \ldots + A_{n-1}\rho_n - 2ma\omega\iota q\phi_1 + aB_1\phi_2 + aB_2\phi_3 + \ldots = 0 \\
(A - mq^2)\rho_2 + A_1\rho_3 + A_2\rho_4 + \ldots\ldots\ldots \quad -2ma\omega\iota q\phi_2 + aB_1\phi_3 + aB_2\phi_4 + \ldots = 0 \\
\cdot \quad \cdot \quad \cdot \quad \cdot \quad \cdot \quad \cdot \quad \cdot \quad \cdot \quad \cdot \quad \cdot \quad \cdot \\
(A - mq^2)\rho_n + A_1\rho_1 + A_2\rho_2 + \ldots\ldots\ldots \quad -2ma\omega\iota q\phi_n + aB_1\phi_1 + aB_2\phi_2 + \ldots = 0
\end{array}\right\} (A$$

By equation β we have

$$2m\omega\iota q\frac{\rho_p}{a} - B_1\frac{\rho_{p+1}}{a} - B_2\frac{\rho_{p+2}}{a} + \ldots (C - mq^2)\phi_p - C_1\phi_{p+1} - C_2\phi_{p+2} - \ldots = 0.$$

Writing 1, 2, 3 in succession for p we get

$$\left.\begin{array}{l}
2\iota m\omega q\frac{\rho_1}{a} - B_1\frac{\rho_2}{a} - B_2\frac{\rho_3}{a} \ldots \quad + (C - mq^2)\phi_1 - C_1\phi_2 - C_2\phi_3 - \ldots = 0 \\
2\iota m\omega q\frac{\rho_2}{a} - B_1\frac{\rho_3}{a} - B_2\frac{\rho_4}{a} \ldots \quad + (C - mq^2)\phi_2 - C_2\phi_3 - C_2\phi_4 - \ldots = 0 \\
\cdot \quad \cdot \quad \cdot \quad \cdot \quad \cdot \quad \cdot \quad \cdot \quad \cdot \quad \cdot \\
2\iota m\omega q\frac{\rho_n}{a} - B_1\frac{\rho_1}{a} - B_2\frac{\rho_2}{a} \ldots \quad + (C - mq^2)\phi_n - C_1\phi_1 - C_2\phi_2 - \ldots = 0
\end{array}\right\} (B)$$

To solve equations A and B we notice that if ω be any root of the equation $x^n=1$, *i. e.* if ω be one of the nth roots of unity, equations A will be satisfied by

$\rho_2=\omega\rho_1,\ \rho_3=\omega\rho_2,\ \rho_4=\omega\rho_3\ldots\quad \phi_2=\omega\phi_1,\ \phi_3=\omega\phi_2,\ \phi_4=\omega\phi_3\ldots$

provided

$$\rho_1(\mathrm{A}-mq^2+\omega\mathrm{A}_1+\omega^2\mathrm{A}_2+\ldots\omega^{n-1}\mathrm{A}_{n-1})$$
$$+\phi_1 a(-2\iota m\omega q+\omega\mathrm{B}_1+\omega^2\mathrm{B}_2+\omega^{n-1}\mathrm{B}_{n-1})=0\ ;\quad (1)$$

while equations B will be satisfied by the same values provided

$$\rho_1(2\iota m\omega q-\omega\mathrm{B}_1-\omega^2\mathrm{B}_2-\omega^{n-1}\mathrm{B}_{n-1})$$
$$+\phi_1 a(\mathrm{C}-mq^2-\omega\mathrm{C}_1-\omega^2\mathrm{C}_2-\omega^{n-1}\mathrm{C}_{n-1})=0.\quad (2)$$

Hence, if both sets of equations are satisfied by these values, we have, eliminating ρ_1 and ϕ_1 from (1) and (2),

$$((\mathrm{A}-mq^2)+\omega\mathrm{A}_1+\omega^2\mathrm{A}_2+\ldots\omega^{n-1}\mathrm{A}_{n-1})$$
$$(\mathrm{C}-mq^2-\omega\mathrm{C}_1-\omega^2\mathrm{C}_2-\omega^{n-1}\mathrm{C}_{n-1})$$
$$=-(-2\iota m\omega q+\omega\mathrm{B}_1+\omega^2\mathrm{B}_2+\ldots\omega^{n-1}\mathrm{B}_n)^2,\quad (1)$$

a biquadratic equation to determine q the frequency of the oscillations of the system. Now ω is of the form

$$\cos\frac{2k\pi}{n}+\iota\sin\frac{2k\pi}{n},$$

where k is an integer between 0 and $n-1$. Substituting this value for ω, we find

$$\omega\mathrm{A}_1+\omega^2\mathrm{A}_2+\omega^{n-1}\mathrm{A}_{n-1}=\frac{e^2}{8a^3}\left\{\cos\frac{2k\pi}{n}\left(\frac{1}{\sin\frac{\pi}{n}}+\frac{1}{\sin^3\frac{\pi}{n}}\right)\right.$$
$$\left.+\cos\frac{4k\pi}{n}\left(\frac{1}{\sin\frac{2\pi}{n}}+\frac{1}{\sin^3\frac{2\pi}{n}}\right)+\cos\frac{6k\pi}{n}\left(\frac{1}{\sin\frac{3\pi}{n}}+\frac{1}{\sin^3\frac{3\pi}{n}}\right)+\ldots\right\}$$

We shall denote this by L_k; it will be noticed that L_k contains no imaginary terms. We find also that

$$\omega\mathrm{C}_1+\omega^2\mathrm{C}_2+\omega^3\mathrm{C}_3+\omega^{n-1}\mathrm{C}_{n-1}=\frac{e^2}{4a^3}\left(\cos\frac{2k\pi}{n}\frac{\cos\frac{\pi}{n}}{\sin^2\frac{\pi}{n}}\left(\cot\frac{\pi}{n}+\frac{1}{2}\tan\frac{\pi}{n}\right)\right.$$
$$+\cos\frac{4k\pi}{n}\frac{\cos\frac{2\pi}{n}}{\sin^2\frac{2\pi}{n}}\left(\cot\frac{2\pi}{n}+\frac{1}{2}\tan\frac{2\pi}{n}\right)$$
$$\left.+\ldots\right).$$

We shall denote this by N_k.

Again,

$$\omega B_1+\omega^2 B_2+\omega^{n-1}B_{n-1}=\frac{\iota . e^2}{8a^3}\left(\sin\frac{2k\pi}{n}\frac{\cos\frac{\pi}{n}}{\sin^2\frac{\pi}{n}}+\sin\frac{4k\pi}{n}\frac{\cos\frac{2\pi}{n}}{\sin^2\frac{2\pi}{n}}\right.$$

$$\left.+\sin\frac{6k\pi}{n}\frac{\cos\frac{3\pi}{n}}{\sin^2\frac{3\pi}{n}}+\ldots\right)$$

$$=\iota M_k, \text{ say.}$$

Substituting these values, equation (1) becomes

$$((A-mq^2)+L_k)(C-mq^2-N_k)=(M_k-2m\omega q)^2. \quad . \quad (2)$$

From the value of C given on p. 240 we see that C is the value of N_k when $k=0$, and so may be denoted by N_0, and that $A=\frac{3}{4}\frac{e^2}{a^3}S-L_0$; hence equation (2) may be written

$$\left(\frac{3}{4}\frac{e^2}{a^3}S+L_k-L_0-mq^2\right)(N_0-N_k-mq^2)=(M_k-2m\omega q)^2. \quad (3)$$

k in this equation may have any value from 0 to $(n-1)$; but we see that if we write $n-k$ for k, the values of q given by the two equations differ only in sign, and so give the same frequencies; thus all the values of q can be got by putting $k=0, 1, \ldots\frac{n-1}{2}$, if n be odd, or $k=0, 1, \frac{n}{2}$ if n be even; thus if n be odd there are $\frac{n+1}{2}$ equations of the type (3). When $k=0$, $M_k=0$, and (3) reduces to a quadratic equation; so that the number of roots of these $\frac{n+1}{2}$ equations is $4\times\frac{n+1}{2}-2=2n$; if n be even there are $\frac{n}{2}+1$ equations; but as $M_k=0$ when $k=0$ and $k=\frac{n}{2}$, two of these reduce to quadratics; so that the number of roots of these equations is $4\left(\frac{n}{2}+1\right)-4=2n$. Thus in each case the number of roots is equal to $2n$, the number of degrees of freedom of the corpuscles in the plane of their undisturbed orbit.

Let us now consider the motion at right angles to this plane. By equation γ we have

$$m\frac{d^2z_p}{dt^2}=-\frac{\nu e^2}{b^3}z_p+Dz_p-\Sigma D_s z_{p+s};$$

or if z_p is proportional to $\epsilon^{\iota qt}$,

$$z_p\left(\frac{\nu e^2}{b^3}-\mathrm{D}-mq^2\right)+\Sigma \mathrm{D}_s z_{p+s}=0\ ;$$

thus

$$\left.\begin{aligned} z_1\left(\frac{\nu e^2}{b^3}-\mathrm{D}-mq^2\right)+z_2\mathrm{D}_1+z_3\mathrm{D}_2+\ldots=0, \\ z_2\left(\frac{\nu e^2}{b^3}-\mathrm{D}-mq^2\right)+z_3\mathrm{D}_1+z_4\mathrm{D}_2+\ldots=0, \\ \cdot\quad\cdot\quad\cdot\quad\cdot\quad\cdot\quad\cdot\quad\cdot \\ z_n\left(\frac{\nu e^2}{b^3}-\mathrm{D}-mq^2\right)+z_1\mathrm{D}_1+z_2\mathrm{D}_2+\ldots=0. \end{aligned}\right\}\ .\ .\ (\mathrm{C})$$

We see that ω again being one of the nth roots of unity, the solution of equations C is

$$z_2=\omega z_1,\qquad z_3=\omega z_2,\qquad z_4=\omega z_3\ldots$$

$$\frac{\nu e^2}{b^3}-\mathrm{D}-mq^2+\omega\mathrm{D}_1+\omega^2\mathrm{D}_2+\omega^{n-1}\mathrm{D}_{n-1}=0.\ .\ .\ (4)$$

Putting $\omega=\cos\frac{2k\pi}{n}+\iota\sin\frac{2k\pi}{n}$, we find, substituting the values for D given above, that

$$\omega\mathrm{D}_1+\omega^2\mathrm{D}_2+\omega^{n-1}\mathrm{D}_{n-1}=\frac{e^2}{8a^3}\left(\frac{\cos\frac{2k\pi}{n}}{\sin^3\frac{\pi}{n}}+\frac{\cos\frac{4k\pi}{n}}{\sin^3\frac{2\pi}{n}}+\frac{\cos\frac{6k\pi}{n}}{\sin^3\frac{3\pi}{n}}+\ldots\right)$$

Denoting this by P_k and noticing that $\mathrm{D}=\mathrm{P}_0$, we find that equation (4) becomes

$$\frac{\nu e}{b^3}+\mathrm{P}_k-\mathrm{P}_0-mq^2=0.$$

Putting in succession $k=0, 1, \ldots n-1$, we get n values of q giving the n frequencies corresponding to the displacements at right angles to the plane of the undisturbed orbit.

We shall now proceed to calculate the frequencies for systems containing various numbers of corpuscles. The four quantities L_k, M_k, N_k, P_k which occur in the frequency equation may be expressed in terms of three quantities S_k, T_k, U_k, where

$$\mathrm{S}_k=\Sigma_1^{n-1}\cos\frac{2ks\pi}{n}\frac{1}{\sin\frac{s\pi}{n}},$$

$$T_k = \Sigma_1^{n-1} \cos\frac{2ks\pi}{n}\frac{1}{\sin^3\frac{s\pi}{n}},$$

$$U_k = \Sigma_1^{n-1} \sin\frac{2ks\pi}{n}\frac{\cos\frac{s\pi}{n}}{\sin^2\frac{s\pi}{n}};$$

for we have

$$L_k = (S_k + T_k)\frac{e^2}{8a^3}, \quad N_k = (2T_k - S_k)\frac{e^2}{8a^3},$$

$$M_k = U_k\frac{e^2}{8a^3}, \qquad P_k = T_k\frac{e^2}{8a^3}.$$

Case of two corpuscles.
When $n=2$ we have

$$L_0 = \frac{2e^2}{8a^3}, \quad M_0 = 0, \quad N_0 = \frac{e^2}{8a^3}, \quad P_0 = \frac{e^2}{8a^3},$$

$$L_1 = -\frac{2e^2}{8a^3}, \quad M_1 = 0, \quad N_1 = -\frac{e^2}{8a^3}, \quad P_1 = -\frac{e^2}{8a^3}.$$

Hence for vibrations in the plane of the orbit we have, when $k=0$,

$$\left(\frac{3}{4}\frac{e^2}{a^3} - mq^2\right)(-mq^2) = 4m^2\omega^2q^2;$$

the roots of this equation are

$$q=0, \quad q=\sqrt{\frac{3}{4}\frac{e^2}{ma^3}+4\omega^2}=\sqrt{\frac{3\nu e^2}{mb^3}+\omega^2}.$$

When $k=1$, the frequency equation is

$$\left(\frac{1}{4}\frac{e^2}{a^3} - mq^2\right)^2 = 4m^2\omega^2q^2;$$

the roots of this equation are

$$q = \omega \pm \sqrt{\frac{1}{4}\frac{e^2}{ma^3}+\omega^2} = \omega \pm \sqrt{\frac{\nu e^2}{mb^3}}$$

and

$$q = -\omega \pm \sqrt{\frac{1}{4}\frac{e^2}{ma^3}+\omega^2} = -\omega \pm \sqrt{\frac{\nu e^2}{mb^3}},$$

the second set of values only differing in sign from the first.

For the vibrations perpendicular to the plane of the orbit, we have for $k=0$,

$$q=\sqrt{\frac{\nu e^2}{mb^3}};$$

for $k=1$,

$$q=\sqrt{\frac{\nu e^2}{mb^3}-\frac{e^2}{4ma^3}}=\omega.$$

Thus the six frequencies corresponding to the six degrees of freedom of the two corpuscles are

$$0,\ \omega,\ \sqrt{\frac{\nu e}{mb^3}},\ \sqrt{\frac{\nu e^2}{mb^3}}-\omega,\ \sqrt{\frac{\nu e^2}{mb^3}}+\omega,\ \sqrt{\frac{3\nu e^2}{mb^3}+\omega^2}.$$

When the corpuscles are not rotating round the circle, two of these roots are zero, three equal to $\sqrt{\frac{\nu e^2}{mb^3}}$, and the sixth equal to $\sqrt{\frac{3\nu e^2}{mb^3}}$. Thus the effect of rotation on the triple frequency $\sqrt{\nu e^2/mb^3}$ is to separate the roots, one remaining unaltered, one increasing, and the other diminishing.

Case of three corpuscles.

When $n=3$.

$$S_0=\frac{4}{\sqrt{3}},\quad T_0=\frac{16}{3\sqrt{3}},\quad U_0=0,\quad L_0=\frac{28}{3\sqrt{3}}\frac{e^2}{8a^3},$$

$$N_0=\frac{20}{3\sqrt{3}}\frac{e^2}{8a^3},\quad M_0=0,\quad P_0=\frac{16}{3\sqrt{3}}\frac{e^2}{8a^3},$$

$$S_1=-\frac{2}{\sqrt{3}},\quad T_1=-\frac{8}{3\sqrt{3}},\quad U_1=\frac{2}{\sqrt{3}},\quad L_1=-\frac{14}{3\sqrt{3}}\frac{e^2}{8a^3},$$

$$N_1=-\frac{10}{3\sqrt{3}}\frac{e^2}{8a^3},\quad M_1=\frac{2}{\sqrt{3}}\frac{e^2}{8a^3},\quad P_1=-\frac{8}{3\sqrt{3}}\frac{e^2}{8a^3},$$

$$S_2=S_1,\quad T_2=T_1,\quad U_2=-U_1,\quad L_2=L_1,\quad N_2=N_1,$$
$$M_2=-M_1,\quad P_2=P_1.$$

For the vibrations in the plane of the orbit, when $k=0$, the frequency equation is

$$\left(\sqrt{3}\frac{e^2}{a^3}-mq^2\right)(-mq^2)=4m^2\omega^2q^2;$$

the solution of this is

$$q=0 \text{ and } q=\left\{\sqrt{3}\frac{e^2}{ma^3}+4\omega^2\right\}^{\frac{1}{2}}=\left\{\frac{3\nu e^2}{mb^3}+\omega^2\right\}^{\frac{1}{2}}.$$

When $k=1$, the frequency equation is

$$\left(\frac{5}{4\sqrt{3}}\frac{e^2}{a^3}-mq^2\right)^2=\left(\frac{2}{\sqrt{3}}\frac{e^2}{8a^3}-2m\omega q\right)^2.$$

The solution of this equation is

$$q=\quad \omega\pm\sqrt{\frac{1}{\sqrt{3}}\frac{e^2}{ma^3}+\omega^2}=\omega\pm\sqrt{\frac{\nu e^2}{mb^3}},$$

$$q=-\omega\pm\sqrt{\frac{\sqrt{3}}{2}\frac{e^2}{ma^3}+\omega^2}=-\omega\pm\sqrt{\frac{3}{2}\frac{\nu e^2}{mb^3}-\tfrac{1}{2}\omega^2}.$$

When $k=2$ the frequencies are the same as when $k=1$; we have thus six frequencies corresponding to the six degrees of freedom of the three corpuscles in the plane of their undisturbed orbit.

For the vibration at right angles to the plane of this orbit, when $k=0$ the frequency equation is

$$\frac{\nu e^2}{b^3}-mq^2=0,$$

or

$$q=\sqrt{\frac{\nu e^2}{mb^3}}.$$

When $k=1$, the frequency equation is

$$\frac{\nu e^2}{b^3}-\frac{e^2}{\sqrt{3}a^3}-mq^2=0,$$

or $$q=\pm\omega.$$

In the case of three corpuscles, as in that of two, we see that when there is no rotation three of the periods are equal; these are separated when the corpuscles are in rotation.

Case of four corpuscles.

When $n=4$,

$$S_0=1+2\sqrt{2},\quad T_0=4\sqrt{2}+1,\quad U_0=0,\quad L_0=(6\sqrt{2}+2)\frac{e^2}{8a^3},$$

$$N_0=(6\sqrt{2}+1)\frac{e^2}{8a^3},\quad M_0=0,\quad P_0=(4\sqrt{2}+1)\frac{e^2}{8a^3},$$

$$S_1=-1,\qquad T_1=-1,\qquad U_1=2\sqrt{2},\qquad L_1=-2\frac{e^2}{8a^3},$$

$$N_1=-\frac{e^2}{8a^3},\quad M_1=2\sqrt{2}\frac{e^2}{8a^3},\quad P_1=-\frac{e^2}{8a^3},$$

$$S_2=-2\sqrt{2}+1,\quad T_2=-4\sqrt{2}+1,\quad U_2=0.\quad L_2=(-6\sqrt{2}+2)\frac{e^2}{8a^3},$$

$$N_2=(-6\sqrt{2}+1)\frac{e^2}{8a^3},\quad M_2=0,\quad P_2=(-4\sqrt{2}+1)\frac{e^2}{8a^3}.$$

When $k=0$, the frequency equation is

$$\left(\frac{3}{4}\frac{e^2}{a^3}(1+2\sqrt{2})-mq^2\right)(-mq^2)=4m^2\omega^2q^2;$$

the solution of which is

$$q=0,\quad q=\sqrt{\frac{3}{4}\frac{e^2}{a^3}(1+2\sqrt{2})+4\omega^2}=\sqrt{\frac{3\nu e^2}{mb^3}+\omega^2}.$$

When $k=1$, the frequency equation is

$$\left((6\sqrt{2}+2)\frac{e^2}{8a^3}-mq^2\right)^2=\left(2\sqrt{2}\frac{e^2}{8a^3}-2m\omega q\right)^2;$$

the solution of this is

$$q=\quad\omega\pm\sqrt{\frac{2\sqrt{2}+1}{4}\frac{e^2}{ma^3}+\omega^2}=\quad\omega\pm\sqrt{\frac{\nu e^2}{mb^3}},$$

$$q=-\omega\pm\sqrt{\frac{4\sqrt{2}+1}{4}\frac{e^2}{ma^3}+\omega^2}=-\omega\pm\sqrt{\frac{4\sqrt{2}+1}{2\sqrt{2}+1}\frac{\nu e^2}{mb^3}-\frac{2\sqrt{2}\omega^2}{2\sqrt{2}+1}}.$$

When $k=2$, the frequency equation is

$$\left(\frac{3}{4}\frac{e^2}{a^3}-mq^2\right)\left(\frac{3}{\sqrt{2}}\frac{e^2}{a^3}-mq^2\right)=4m^2\omega^2q^2.$$

Regarding this as a quadratic in q^2, we see that the roots are positive, so that the values of q are real and the arrangement is stable. The roots of the equation are

$$q^2=\frac{3}{8\sqrt{2}}(4+\sqrt{2})\frac{e^2}{ma^3}+2\omega^2$$

$$\pm\sqrt{\frac{9(4-\sqrt{2})^2}{128}\frac{e^4}{m^2a^6}+\frac{3(\sqrt{2}+4)}{2\sqrt{2}}\frac{e^2}{ma^3}\omega^2+4\omega^4}.$$

Let us now consider the motion at right angles to the plane of the orbit. When $k=0$, the frequency equation is

$$\frac{\nu e^2}{b^3}-mq^2=0,$$

or

$$q=\sqrt{\frac{\nu e^2}{mb^3}}.$$

When $k=1$, the frequency equation is

$$\frac{\nu e^2}{b^3}-(4\sqrt{2}+2)\frac{e^2}{8a^3}-mq^2=0,$$

or

$$q=\pm\omega.$$

When $k=2$, the frequency equation is

$$\frac{\nu e^2}{b^3}-\frac{8\sqrt{2}e^2}{8a^3}-mq^2=0,$$

or

$$q^2=\frac{8\sqrt{2}}{4\sqrt{2}+2}\omega^2-\frac{(4\sqrt{2}-2)}{4\sqrt{2}+2}\frac{\nu e^2}{mb^3}.$$

Thus, unless

$$\omega^2>\frac{4\sqrt{2}-2}{8\sqrt{2}}\frac{\nu e^2}{mb^3}>\cdot 325\frac{\nu e^2}{mb^3}, \quad . \quad . \quad . \quad (1)$$

q^2 is negative, and the equilibrum is unstable, the four corpuscles then arranging themselves at the corner of a regular tetrahedron. When, however, ω is large enough to satisfy condition (1), four corpuscles will be in equilibrium when in steady motion in one plane at the corners of a square.

Case of five corpuscles.

When $n=5$, we have

$$S_0=5\cdot 5056,\quad T_0=12\cdot 1732,\quad U_0=0,\quad L_0=\frac{e^2}{8a^3}(17\cdot 6788),$$

$$N_0=\frac{e}{8a^3}(18\cdot 8408),\quad M_0=0,\quad P_0=\frac{e^2}{8a^3}(12\cdot 1732),$$

$$S_1=-\cdot 65,\quad T_1=1\cdot 1609,\quad U_1=4\cdot 856,\quad L_1=\frac{e^2}{8a^3}(\cdot 511),$$

$$N_1=\frac{e^2}{8a^3}(2\cdot 9716),\quad M_1=\frac{e^2}{8a^3}4\cdot 856,\quad P_1=\frac{e^2}{8a^3}(1\cdot 1609),$$

$$S_2=-2\cdot 103,\quad T_1=-7\cdot 249,\quad U_2=2\cdot 103,\quad L_2=-\frac{e^2}{8a^3}(9\cdot 352),$$

$$N_2=-\frac{e^2}{8a^3}12\cdot 4,\quad M_2=\frac{e^2}{8a^3}2\cdot 103,\quad P_2=-\frac{e^2}{8a^3}7\cdot 249.$$

The frequency equation when $k=0$ is

$$\left(\frac{3}{4}\ 5\cdot 5056\frac{e^2}{a^3}-mq^2\right)(-mq^2)=4m^2\omega^2q^2,$$

the solution of which is

$$q=0,\quad q=\sqrt{\frac{3\nu e}{b^3}+\omega^2}.$$

When $k=1$, the frequency equation is

$$\left(15\cdot 87\frac{e^2}{8a^3}-mq^2\right)^2=\left(\frac{e^2}{8a^3}4\cdot 856-2m\omega q\right)^2,$$

or $$q=\omega\pm\sqrt{10{\cdot}918\frac{e^2}{8a^3}+\omega^2}=\omega\pm\sqrt{\frac{\nu e^2}{mb^3}},$$

$$q=-\omega\pm\sqrt{\cdot 20{\cdot}726\frac{e^2}{8a^3}+\omega^2}.$$

When $k=2$,

$$\left(6\frac{e^2}{8a^3}-mq^2\right)\left(31{\cdot}24\frac{e^2}{8a^3}-mq^2\right)=\left(2{\cdot}103\frac{e^2}{8a^3}-2m\omega q\right)^2.$$

By applying the usual methods we find that all the roots of this equation are real, so that the steady motion of the five particles is stable for displacements in the plane of the orbit.

Let us now consider displacements at right angles to the plane of the orbit. When $k=0$ the frequency equation is

$$\frac{\nu e^2}{b^3}-mq^2=0,$$

the solution of which is

$$q=\sqrt{\frac{\nu e^2}{mb^3}}.$$

When $k=1$, the frequency equation is

$$m\omega^2-mq^2=0,$$

hence

$$q=\omega.$$

When $k=2$, the frequency equation is

$$\frac{\nu e^2}{b^3}-19{\cdot}42\frac{e^2}{8a^3}-mq^2=0,$$

or $$\frac{19{\cdot}42}{11}m\omega^2+\frac{\nu e^2}{b^3}-\frac{19{\cdot}42}{11}\frac{\nu e^2}{b^3}-mq^2=0,$$

$$\frac{19{\cdot}42}{11}m\omega^2-\frac{8{\cdot}42}{11}\frac{\nu e^2}{b^3}-mq^2=0.$$

Hence, in order that the equilibrium may be stable,

$$\omega^2 \text{ must be } > \frac{8{\cdot}42}{19{\cdot}42}\frac{\nu e^2}{b^3} > {\cdot}433\frac{\nu e^2}{mb^3}.$$

Thus the five corpuscles are unstable when in one plane unless the angular velocity exceeds a certain value; the arrangement is stable, however, when the angular velocity is large.

Case of six corpuscles.

When $n=6$,

$$S_0=5+\frac{4}{\sqrt{3}},\ T_0=17+\frac{16}{3\sqrt{3}},\ U_0=0,\ L_0=\left(22+\frac{28}{3\sqrt{3}}\right)\frac{e^2}{8a^3},$$

$$N_0=\left(29+\frac{20}{3\sqrt{3}}\right)\frac{e^2}{8a^3},\quad M_0=0,\quad P_0=\left(17+\frac{16}{3\sqrt{3}}\right)\frac{e^2}{8a^3},$$

$$S_1=1-\frac{2}{\sqrt{3}},\ T_1=7-\frac{8}{3\sqrt{3}},\ U_1=6+\frac{2}{\sqrt{3}},\ L_1=\left(8-\frac{14}{3\sqrt{3}}\right)\frac{e^2}{8a^3},$$

$$N_1=\left(13-\frac{10}{3\sqrt{3}}\right)\frac{e^2}{8a^3},\ M_1=\left(7-\frac{8}{3\sqrt{3}}\right)\frac{e^2}{8a^3},\ P_1=\left(7-\frac{8}{3\sqrt{3}}\right)\frac{e^2}{8a^3},$$

$$S_2=-1-\frac{2}{\sqrt{3}},\ T_2=-7-\frac{8}{3\sqrt{3}},\ U_2=6-\frac{2}{\sqrt{3}},\ L_2=\left(-8-\frac{14}{3\sqrt{3}}\right)\frac{e^2}{8a^3},$$

$$N_2=\left(-13-\frac{10}{3\sqrt{3}}\right)\frac{e^2}{8a^3},\ M_2=\left(6-\frac{2}{\sqrt{3}}\right)\frac{e^2}{8a^3},\ P_2=\left(-7-\frac{8}{3\sqrt{3}}\right)\frac{e^2}{8a^3},$$

$$S_3=-5+\frac{4}{\sqrt{3}},\ \ T_3=-17+\frac{16}{3\sqrt{3}},\ \ U_3=0,\ \ L_3=\left(-22+\frac{28}{3\sqrt{3}}\right)\frac{e^2}{8a^3},$$

$$N_3=\left(-29+\frac{20}{3\sqrt{3}}\right)\frac{e^2}{8a^3},\quad M_3=0,\quad P_3=\left(-17+\frac{16}{3\sqrt{3}}\right)\frac{e^2}{8a^3}.$$

It is not necessary to write down all the frequency equations because, as we shall show, the arrangement of six corpuscles is unstable. For when $k=3$ the frequency equation is

$$\left(\frac{6}{8}(5+\frac{4}{\sqrt{3}})\frac{e^2}{8a^3}-44\frac{e^2}{8a^3}-mq^2\right)\left(58\frac{e^2}{8a^3}-mq^2\right)=4m^2\omega^2q^2,$$

or
$$\left(-\frac{(14-8\sqrt{3})}{8}\frac{e^2}{a^3}-mq^2\right)\left(58\frac{e^2}{8a^3}-mq^2\right)=4m^2\omega^2q^2. \quad (1)$$

As $14-8\sqrt{3}$ is positive, we see that one of the roots of this equation for q^2 is negative, so that q is imaginary; this shows that the steady motion of 6 corpuscles in a ring is unstable, however rapid the rotation. We can, however, make the motion stable by putting a corpuscle at the centre; if we have a negative charge equal to that of p corpuscles at the centre of the ring the radial force it exerts on the sth corpuscle is $\frac{pe^2}{(a+\rho)^2}$, or $\frac{pe^2}{a^2}-\frac{2pe^2\rho}{a^3}$. Introducing this term into the expression for the radial force we find the frequency equation becomes

$$\left(\frac{3}{4}\frac{e^2}{a^3}S_0+\frac{3pe^2}{a^3}+L_k-L_0-mq^2\right)(N_0-N_k-mq^2)=(M_k-2m\omega q)^2.$$

Using this frequency equation, and supposing that $p=1$, *i. e.* that there is only one corpuscle at the centre of the hexagon, we get instead of (1),

$$\left(\frac{10+8\sqrt{3}}{8}\frac{e^2}{a^3}-mq^2\right)\left(\frac{58}{8}\frac{e^2}{a^3}-mq^2\right)=4m^2\omega^2q^2. \quad . \quad (2)$$

The roots of this equation in q^2 are both positive, so that q is real and the equilibrium is stable.

Let us now investigate the conditions for stability for displacements at right angles to the plane of the orbit.

For the motion at right angles to the plane of the ring, the frequency equation when $k=3$ is

$$\frac{\nu e^2}{b^3}-\frac{pe^2}{a^3}-\frac{34}{8}\frac{e^2}{a^3}-mq^2=0.$$

For this to represent the displacement of a stable system q^2 must be positive, so that if $p=1$

$$\frac{\nu e^2}{b^3}-\frac{e^2}{a^3}-\frac{34}{8}\frac{e^2}{a^3}$$

must be positive ; we have, however,

$$\frac{\nu e^2}{b^3}=m\omega^2+\frac{e^2}{a^3}+\frac{e^2}{4a^3}\left(5+\frac{4}{\sqrt{3}}\right);$$

so that for

$$\frac{\nu e^2}{b^3}-\frac{e^2}{a^3}-\frac{34}{8}\frac{e^2}{a^3}$$

to be positive

$$m\omega^2 \text{ must be greater than } \frac{12-4/\sqrt{3}}{21}\frac{\nu e^2}{b^3}, \textit{ i. e. } {\cdot}46\frac{\nu e^2}{b^3}.$$

Let us now consider the stability of the corpuscle at the centre of the ring: if it is displaced through a distance z at right angles to the ring, the equation of motion of the corpuscles is

$$m\frac{d^2z}{dt^2}=-\frac{\nu e^2}{b^3}z+\frac{6e^2}{a^3}z.$$

Thus if the motion is stable

$$\frac{\nu e^2}{b^3}>\frac{6e^2}{a^3},$$

or

$$m\omega^2 > \frac{15 - 4/\sqrt{3}}{24} \frac{\nu e^2}{b^3}, \text{ i. e. } \cdot 53 \frac{\nu e^2}{b^3}.$$

This value of ω^2 is greater than that required to make the equilibrium of the ring stable for displacements at right angles to its plane; if the central corpuscle, instead of being in the plane of the ring, was one side of the centre of the sphere of positive electrification while the ring was on the other side, the rotation required to make the equilibrium of the detached corpuscle stable would be less than when it was in the plane of the ring; for equilibrium the distance of the detached corpuscle from the centre of the sphere must be six times the distance of the plane of the ring from that point.

Conditions for the stability of rings containing more than six corpuscles.

I find that a single corpuscle in the centre is sufficient to make rings of 7 and 8 corpuscles stable; in the latter case, however, one of the values of q^2 though positive is exceedingly small. When the number of corpuscles exceeds 8 the number of central corpuscles required to ensure stability increases very rapidly with the number of corpuscles in the ring.

The frequency equation is

$$\left(\frac{3}{4}\frac{e^2 S_0}{a^3} + \frac{3pe^2}{a^3} - (L_0 - L_k) - mq^2\right)\left(N_0 - N_k - mq^2\right) = (M_k - 2m\omega q)^2.$$

Now $N_0 - N_k$ is always positive and M is small compared with L and N; hence this equation will have real roots if

$$\frac{3}{4}\frac{e^2 S_0}{a^3} + \frac{3pe^2}{a^3} - (L_0 - L_k)$$

is positive. The greatest value of $L_0 - L_k$ is got by putting $k = n/2$ when n is even, and $= (n-1)/2$ when n is odd: hence the condition that the values of q should be real, *i. e.* that the equilibrium of the ring should be stable, is

$$\frac{3pe^2}{a^3} > (L_0 - L_{\frac{n}{2}}) - \frac{3}{4}\frac{e^2 S_0}{a^3} \text{ when } n \text{ is even,}$$

and

$$\frac{3pe^2}{a^3} > (L_0 - L_{\frac{n-1}{2}}) - \frac{3}{4}\frac{e^2 S_0}{a^3} \text{ when } n \text{ is odd.}$$

From this equation we can calculate the least value of p which will make a ring of n corpuscles stable. The values of

p for a series of values of n are given in the following table:—

n ...	5	6	7	8	9	10	15	20	30	40
p ...	0	1	1	1	2	3	15	39	101	232

For large values of n the values of p are proportional to n^3. When p is greater than one, the internal corpuscles necessary to produce equilibrium cannot all be at the centre of the sphere, they will separate until their repulsions are balanced by the attraction of the positive electricity in the sphere. Thus when there are two internal corpuscles, as when $n=9$, these two will separate and will form a pair with the line joining them parallel to the plane of the ring. If we assume, as is approximately the case, that the pair of equal corpuscles exerts at external points the same force as a double charge placed at a point midway between them, the preceding theory will apply, and the system consisting of the ring of 9 and the pair of corpuscles will be in stable equilibrium. When $n=10$, the internal corpuscles must be three in number; these three will arrange themselves at the corners of an equilateral triangle, and the system of 13 corpuscles will consist of a ring of 10 and a triangle of 3, the planes of the ring and triangle being parallel but not coincident; the corpuscles are all supposed to be in rapid rotation round the diameter of the sphere drawn at right angles to the planes of the ring. For a ring of 12 corpuscles we require 7 inside, but 7 corpuscles, as we have seen, cannot form a single ring, but will arrange themselves as a ring of 6 with one at the centre. Thus the system of 19 corpuscles will consist of an outer ring of 12, an inner ring of 6 in a plane parallel to the outer ring, and one corpuscle along the axis of rotation.

In this way we see that when we have a large number of corpuscles in rapid rotation they will arrange themselves as follows:—The corpuscles form a series of rings, the corpuscles in one ring being approximately in a plane at right angles to the axis of rotation, the number of particles in the rings diminishing as the radius of the ring diminishes. If the corpuscles can move at right angles to the plane of their orbit, the rings will be in different planes adjusting themselves so that the repulsion between the rings is balanced by the attraction exerted by the positive electrification of the sphere in which they are placed. We have thus in the first place a sphere of uniform positive electrification, and inside this sphere a number of corpuscles arranged in a series of parallel rings, the number of corpuscles in a ring varying from ring to ring: each corpuscle is travelling at a high speed round the circumference of the ring in which it is situated, and the rings are so arranged that those which contain a large number of corpuscles are near the surface of the sphere, while those in which there are a smaller number of corpuscles are more in the inside.

If the corpuscles, like the poles of the little magnets in Mayer's experiments with the floating magnets, are constrained to move in one plane, they would, even if not in rotation, be in equilibrium when arranged in the series of rings just described. The rotation is required to make the arrangement stable when the corpuscles can move at right angles to the plane of the ring.

Application of the preceding Results to the Theory of the Structure of the Atom.

We suppose that the atom consists of a number of corpuscles moving about in a sphere of uniform positive electrification: the problems we have to solve are (1) what would be the structure of such an atom, *i. e.* how would the corpuscles arrange themselves in the sphere; and (2) what properties would this structure confer upon the atom. The solution of (1) when the corpuscles are constrained to move in one plane is indicated by the results we have just obtained—the corpuscles will arrange themselves in a series of concentric rings. This arrangement is necessitated by the fact that a large number of corpuscles cannot be in stable equilibrium when arranged as a single ring, while this ring can be made stable by placing inside it an appropriate number of corpuscles. When the corpuscles are not constrained to one plane, but can move about in all directions, they will arrange themselves in a series of concentric shells; for we can easily see that, as in the case of the ring, a number of corpuscles distributed over the surface of a shell will not be in stable equilibrium if the number of corpuscles is large, unless there are other corpuscles inside the shell, while the equilibrium can be made stable by introducing within the shell an appropriate number of other corpuscles.

The analytical and geometrical difficulties of the problem of the distribution of the corpuscles when they are arranged in shells are much greater than when they are arranged in rings, and I have not as yet succeeded in getting a general solution. We can see, however, that the same kind of properties will be associated with the shells as with the rings; and as our solution of the latter case enables us to give definite results, I shall confine myself to this case, and endeavour to show that the properties conferred on the

T 2

atom by this ring structure are analogous in many respects to those possessed by the atoms of the chemical elements, and that in particular the properties of the atom will depend upon its atomic weight in a way very analogous to that expressed by the periodic law.

Let us suppose, then, that we have N corpuscles each carrying a charge e of negative electricity, placed in a sphere of positive electrification, the whole charge in the sphere being equal to Ne; let us find the distribution of the corpuscles when they are arranged in what we may consider to be the simplest way, *i.e.* when the number of rings is a minimum, so that in each ring there are as nearly as possible as many corpuscles as it is possible for the corpuscles inside to hold in equilibrium. Let us suppose that the number of internal corpuscles required to make the equilibrium of a ring of n corpuscles stable is $f(n)$. The value of $f(n)$ for a series of values of n is given in the table on page 254; in that table $f(n)$ is denoted by p. The number of corpuscles in the outer ring n_1 will then be determined by the condition that $N-n_1$, the number of corpuscles inside, must be just sufficient to keep the ring of n_1 corpuscles in equilibrium, *i. e.*, n_1 will be determined by the equation

$$N-n_1=f(n_1). \quad . \quad . \quad . \quad . \quad . \quad . \quad (1)$$

If the value of n_1 got from this equation is not an integer we must take the integral part of the value.

To get n_2, the number of corpuscles in the second ring, we notice that there must be $N-n_1-n_2$ corpuscles inside; hence n_2 is given by the equation

$$N-n_1-n_2=f(n_2).$$

Similarly, n_3, n_4, ..., the number of corpuscles in the 3rd, 4th, &c. rings reckoned from the outside, are given by

$$N-n_1-n_2-n_3=f(n_3),$$
$$N-n_1-n_2-n_3-n_4=f(n_4).$$

These equations can be solved very rapidly by a graphical method. Draw the graph whose abscissa $=f(n)$ and whose ordinate is n. The values of $f(n)$ for a series of values of n are given on page 254; from these values the curve fig. 1 has been constructed.

To find how a number of corpuscles equal to N will arrange themselves, measure off on the axis of abscissæ a distance from O equal to N. Let OP be this distance, through P draw PQ inclined at an angle of 135° to the horizontal axis, cutting the curve in Q, draw the ordinate QM; then the integral part of QM will be the value of n_1, the number of

Fig. 1.

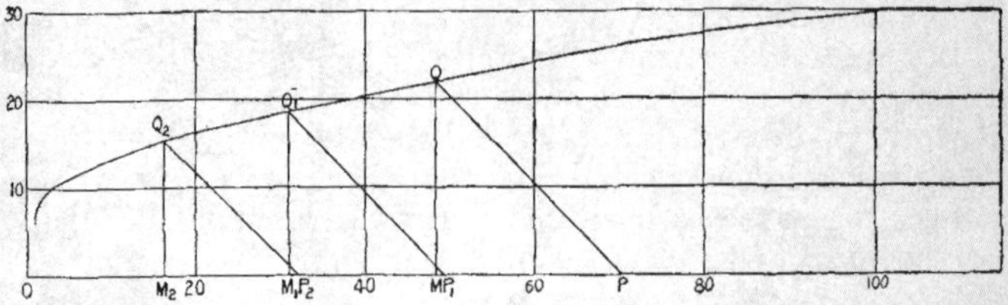

corpuscles in the first ring reckoned from the outside. For evidently

$$OM = f(QM),$$

and OM = ON − NM, and since PQ is inclined at 45° to the axis, NM = OM; hence

$$ON - QM = f(QM).$$

Comparing this with equation (1) we see that the integral part of QM is the value of n_1.

To get the value of n_2, the number of corpuscles in the second ring, we mark off the abscissa $OP_1 = N - n_1$ (if QM is an integer P_1 will coincide with M), then from P_1 draw P_1Q_1 parallel to PQ cutting the curve in Q_1; the integral part of Q_1M_1 will be the value of n_2. To get n_3 mark off the abscissa $OP_2 = N - n_1 - n_2$, and draw P_2Q_2 parallel to PQ; the integral part of Q_2M_2 will be the value of n_3. In this way we can in a very short time find the configuration.

The following table, which gives the way in which various numbers of corpuscles group themselves, has been calculated in this way; the numbers range downwards from 60 at intervals of 5.

Number of corpuscles	60.	55.	50.	45.	40.	35.
Number in successive rings...	20 16 13 8 3	19 16 12 7 1	18 15 11 5 1	17 14 10 4	16 13 8 3	16 12 6 1
Number of corpuscles	30.	25.	20.	15.	10.	5.
Number in successive rings...	15 10 5	13 9 3	12 7 1	10 5	8 2	5

We give also the entire series of arrangement of corpuscles for which the outer ring consists of 20 corpuscles.

Number of corpuscles	59.	60.	61.	62.	63.	64.	65.	66.	67.
Number in successive rings...	20	20	20	20	20	20	20	20	20
	16	16	16	17	17	17	17	17	17
	13	13	13	13	13	13	14	14	15
	8	8	9	9	10	10	10	10	10
	2	3	3	3	3	4	4	5	5

59 is the smallest number of corpuscles which can have an outer ring of 20, while when the number of corpuscles is greater than 67 the outer ring will contain more than 20 corpuscles.

Let us now consider the connexion between these results and the properties possessed by the atoms of the chemical elements. We suppose that the mass of an atom is the sum of the masses of the corpuscles it contains, so that the atomic weight of an element is measured by the number of corpuscles in its atom. An inspection of the results just given will show that systems built up of rings of corpuscles in the way we have described, will possess properties analogous to some of those possessed by the atom. In the first place, we see that the various arrangements of the corpuscles can be classified in families, the grouping of the corpuscles in the various members of the family having certain features in common. Thus, for example, we see that the group of 60 corpuscles consists of the same rings of corpuscles as the group of 40 with an additional ring of 20 corpuscles round it, while the group of 40 consists of the same series of rings as the group of 24 with an additional ring outside, while 24 is the group 11 with an additional ring. To continue the series for larger numbers of corpuscles, take the curve $x=f(y)$ when $f(n)$ is the number of corpuscles that must be placed

Fig. 2.

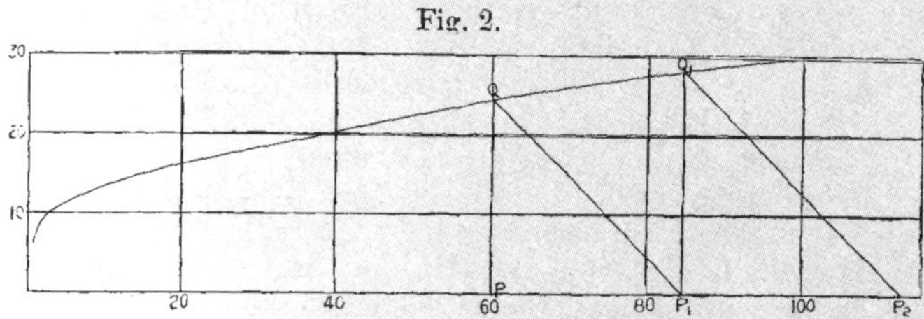

inside a ring of n corpuscles to make it stable. Let Q be the point on this curve corresponding to 60 corpuscles, *i. e.* OP=60, from Q draw QP_1 inclined at an angle of 135° to the axis of x; then the number of corpuscles represented by OP_1 will be arranged like the 60 corpuscles with an addition ring of Q_1P_1 corpuscles (fig. 2). To find the next member of the family, draw Q_1P_2 parallel to QP_1 cutting the axis of x in P_2, then OP_2 will represent the number of corpuscles in the next member of the family; and by continuing the process we can find the successive members. Thus we see that we can divide the various groups of atoms into series such that each member of the series is derived from the preceding member (*i. e.* the member next below it in atomic weight) by adding to it another ring of corpuscles. We should expect the atoms formed by a series of corpuscles of this kind to have many points of resemblance. Take, for example, the vibrations of the corpuscles; these may be divided into two sets :—(1) Those arising from the rotation of the corpuscles around their orbits : if all the corpuscles in one atom have the same angular velocity, the frequency of the vibrations produced by the rotation of the ring of corpuscles is proportional to the number of corpuscles in the ring; and thus in the spectrum of each element in the series there would be a series of frequencies bearing the same ratio to each other, the ratio of the frequencies being the ratios of the numbers in the various rings.

The second system of vibrations are those arising from the displacement of the ring from its circular figure. If now the distance of a corpuscle in the outer ring from a corpuscle in the collection of rings inside it is great compared with the distance of the second corpuscle from its nearest neighbour on its own ring, the effect of the outer ring of corpuscles on the inner set of rings will only "disturb" the vibrations of the latter without fundamentally altering the character of their vibrations. Thus for these vibrations, as well as for those due to the rotations, the sequence of frequencies would present much the same features for the various elements in the series; there would be in the spectrum corresponding groups of associated lines. We regard a series of atoms formed in this way, *i. e.* when the atom of the pth member is formed from that of the $(p-1)$th by the addition of a single ring of corpuscles, as belonging to elements in the same group in the arrangement of the elements according to the periodic law; *i. e.*, they form a series which, if arranged according to Mendeléef's table, would all be in the same vertical column.

The gradual change in the properties of the elements which takes place as we travel along one of the horizontal rows in Mendeléef's arrangement of the elements, is also illustrated by the properties possessed by these groups of corpuscles. Thus consider the series of arrangements of the corpuscles given on p. 258, in all of which the outer ring contains 20 corpuscles An outer row of 20 corpuscles first occurs with 59 corpuscles; in this case the number of corpuscles inside is only just sufficient to make the outer ring stable; this ring will therefore be on the verge of instability, and when the corpuscles in this ring are displaced the forces of restitution urging them back to their original position will be small. Thus when this ring is subjected to disturbances from an external source, one or more corpuscles may easily be detached from it; such an atom therefore will easily lose a negatively electrified corpuscle, and thus acquire a charge of positive electricity; such an atom would behave like the atom of a strongly electropositive element. When we pass from 59 to 60 corpuscles the outer ring is more stable, because there is an additional corpuscle inside it; the corresponding atom will thus not be so electropositive as that containing only 59 corpuscles. The addition of each successive corpuscle will make it more difficult to detach corpuscles from the outer ring, and will therefore make the atom less electropositive. When the stability of the outer ring gets very great, it may be possible for one or more corpuscles to be on the surface of the atom without breaking up the ring; in this case the atom could receive a charge of negative electricity, and would behave like the atom of an electronegative element. The increase in the stability of the ring, and consequently in the electronegative character of the atom, would go on increasing until we had as many as 67 corpuscles, when the stability of the outer ring would be at a maximum. A great change in the properties of the atom would occur with 68 corpuscles, for now the number of corpuscles in the outer ring increases to 21; these 21 corpuscles are, however, only just stable, and would, like the outer ring of 20 in the arrangement of the 59 corpuscles, readily lose a corpuscle and so make the atom strongly electropositive.

The properties of the groups of 59 and 67 corpuscles, which are respectively at the beginning and end of the series which has an outer ring of 20 corpuscles, deserve especial consideration. The arrangement of corpuscles in the group of 59, although very near the verge of instability, and therefore very liable to lose a corpuscle and thereby acquire a positive charge, would not be able to retain this charge. For when it had lost a corpuscle, the 58 corpuscles left would arrange themselves in the grouping corresponding to 58 corpuscles which is the last to have an outer ring of 19 corpuscles; this ring is therefore exceedingly stable so that no further corpuscles would escape from it, while the positive charge on the system due to the escape of the 59th corpuscle would attract the surrounding corpuscles. Thus this arrangement could not remain permanently charged; for as soon as one corpuscle had escaped it would be replaced by another. An atom constituted in this way would be neither electropositive nor electronegative, but one incapable of receiving permanently a charge of electricity.

The group containing 60 corpuscles would be the most electropositive of the series; but this could only lose one corpuscle; *i. e.* acquire a charge of one unit of positive electricity; for if it lost two we should have 58 corpuscles—as when the group of 59 had lost one corpuscle—and in this case the system would be even more likely than the other to attract external corpuscles, for it would have a charge of two units of positive electricity instead of one. Thus the system containing 60 corpuscles would get charged with one, but only one, unit of positive electricity: it would therefore act like the atom of a monovalent electropositive element.

The group containing 61 corpuscles would not part with its corpuscles so readily as the group of 60, but on the other hand it could afford to lose two, as it is not until it has lost three that its corpuscles are reduced to 58, when, as we have seen, it begins to acquire fresh corpuscles. Thus this system might get charged with two units of positive electricity, and would act like the atom of a divalent electropositive element. Similarly the group of 62, though less liable even than the 61 to lose its corpuscles, could, on the other hand, lose 3 without beginning to recover its corpuscles; it could thus acquire a charge of 3 units of positive electricity, and would act like the atom of a trivalent electropositive element.

Let us now go to the groups at the other end of the series and consider the properties of the last of the series, the group of 67 corpuscles. The outer ring would be very stable, but if the system acquired another corpuscle, the 68 corpuscles would arrange themselves with a ring of 21 corpuscles on the outside; as 68 is the smallest number of corpuscles with an outer ring of 21, the ring is very nearly unstable and easily loses a corpuscle. Thus the group of 67 corpuscles, as soon as it acquires a negative charge, would lose it again, and the system, like the group of 59, would be incapable of being permanently charged with electricity—it would act like the atom of an element of no valency.

The group of 66 would be the most electronegative of the series, but this would only be able to retain a charge of one unit of negative electricity; for if it acquired 2 units there would be 68 corpuscles, an arrangement which, as we have seen, rapidly loses its corpuscles. This group of 66 would therefore act like the atom of a monovalent electronegative element.

The group of 65 would be less liable than that of 66 to acquire negative corpuscles, but, on the other hand, it would under suitable circumstances be able to retain 2 corpuscles, and thus be charged with 2 units of negative electricity, and would act like the atom of a divalent electronegative element.

Similarly, the group of 64 would act like the atom of a trivalent electronegative element, and so on.

Thus, if we consider the series of arrangements of corpuscles having on the outside a ring containing a constant number of corpuscles, we have at the beginning and end systems which behave like the atoms of an element whose atoms are incapable of retaining a charge of either positive or negative electricity; then (proceeding in the order of increasing number of corpuscles) we have first a system which behaves like the atom of a monovalent electropositive element, next one which behaves like the atom of a divalent electropositive element, while at the other end of the series we have a system which behaves like an atom with no valency, immediately preceding this, one which behaves like the atom of a monovalent electronegative element, while this again is preceded by one behaving like the atom of a divalent electronegative element.

This sequence of properties is very like that observed in the case of the atoms of the elements.

Thus we have the series of elements :

He Li Be B C N O F Ne.
Ne Na Mg Al Si P S Cl Arg.

The first and last element in each of these series has no valency, the second is a monovalent electropositive element, the last but one is a monovalent electronegative element, the third is a divalent electropositive element, the last but two a divalent electronegative element, and so on.

When atoms like the electronegative ones, in which the corpuscles are very stable, are mixed with atoms like the electropositive ones, in which the corpuscles are not nearly so firmly held, the forces to which the corpuscles are subject by the action of the atoms upon each other may result in the detachment of corpuscles from the electropositive atoms and their transference to the electronegative. The electronegative atoms will thus get a charge of negative electricity, the electropositive atoms one of positive, the oppositely charged atoms will attract each other, and a chemical compound of the electropositive and electronegative atoms will be formed.

Just as an uncharged conducting sphere will by electrostatic induction attract a corpuscle in its neighbourhood, so a corpuscle outside an atom will be attracted, even though the atom has not become positively charged by losing a corpuscle. When the outside corpuscle is dragged into the atom there will be a diminution in the potential energy, the amount of this diminution depending on the number of corpuscles in the atom. If now we have an atom A such that loss of potential energy due to the fall into the atom of a corpuscle from outside is greater than the work required to drag a corpuscle from an atom B of a different kind, then an intimate mixture of A and B atoms will result in the A atoms dragging corpuscles from the B atoms, thus the A atoms will get negatively, the B atoms positively electrified, and the oppositely electrified atoms will combine, forming a compound such as $A_{-}B_{+}$; in such a case as this chemical combination might be expected whenever the atoms were brought into contact. Even when the loss of potential energy when a corpuscle falls into A is less than the work required to drag a corpuscle right away from B, the existence of a suitable physical environment may lead to chemical combination between A and B. For when a corpuscle is dragged out of and away from an atom a considerable portion of the work is spent on the corpuscle after it has left the atom, while of the work gained when a corpuscle falls into an atom, the proportion done outside to that done inside the atom is smaller than the proportion for the corresponding quantities when the corpuscle is dragged out of an atom. Thus, though the work required to move a corpuscle from B to an infinite distance may be greater than that gained when a corpuscle moves from an infinite distance into A, yet the work gained when a corpuscle went from the surface of A into its interior might be greater than the work required to move a corpuscle from the interior to the surface of B. In this case anything which diminished the forces on the corpuscle when they got outside the atom, as, for example, the presence of a medium of great specific inductive capacity such as water, or contact with a metal such as platinum black, would greatly increase the chance of chemical combination.

The Existence of Secondary Groups of Corpuscles within the Atom.

The expression given on p. 238 for the radius of a ring of corpuscles shows that it depends on $\nu e/b^3$, where νe is the amount of positive electrification within a sphere of radius b: thus ve/b^3 is equal to $\frac{4\pi}{3}\rho$, where ρ is the density of the positive electrification in the sphere: thus, if the density of the electrification be kept constant, the radius of the ring will be independent of the size of the sphere. Now let us take a large sphere and place within it a ring of such a size that the ring would be in stable equilibrium if its centre were at the centre of the sphere. To fix our ideas, let us take the case of three corpuscles at the corners of an equilateral triangle, and place this triangle so that its centre O′ is no longer at the centre of the sphere: we can easily see that the corpuscles will remain at the corners of an equilateral triangle of the same size, and that the triangle will move like a rigid body acted upon by a force proportional to the distance of its centre from O the centre of the sphere. To prove this we notice that the repulsion between the corpuscles is the same as when the centre of the triangle is at O. The attraction of the sphere on a corpuscle P is proportional to OP, and so may be resolved into two forces, one proportional to O′P along PO′ (O′ is the centre of the triangle) and the other proportional to OO′ acting along O′O. Now the corpuscles are by hypothesis in equilibrium under their mutual repulsions, and the attraction to the centre proportional to O′P: thus the relative position of the corpuscles will remain unaltered, and the system of three corpuscles will move as a rigid body under a central force acting on its centre of gravity proportional to the distance of that point from the centre of the sphere.

The three corpuscles will, at a point whose distance from their centre is large compared with a side of the triangle, produce the same effect as if the charges on the three corpuscles were condensed at the centre of the triangle; they will thus at such points act like a unit, and the results we have previously obtained for single corpuscles may be extended to the case when the single corpuscles are replaced by rings of corpuscles which would by themselves be in equilibrium. It should be noted that the atom in which these systems are placed must be large enough to allow these rings of corpuscles—sub-atoms we may call them, to be separated by distances considerably greater than the distance between the corpuscles in one of the rings.

If we regard the atoms of the heavier elements as produced by the coalescence of lighter atoms, it is reasonable to suppose that the corpuscles in the heavier atoms may be arranged in secondary groups or sub-atoms, each of these groups acting as a unit. When the corpuscles are done up in bundles in this way, it is possible to have stability when these bundles are arranged in a ring with a smaller number of corpuscles inside than when the corpuscles in the bundles are arranged at equal intervals round the circumference of the ring. Thus, take the case of a ring of 30 corpuscles; if these were arranged at equal intervals, 101 corpuscles would be required inside the ring to make it stable. If, however, the 30 corpuscles were grouped in ten sets of three each, only $3 \times 3 = 9$ corpuscles in the interior would be required to make the arrangement stable.

Constitution of the Atom of a Radioactive Element.

Our study of the stability of systems of corpuscles has made us acquainted with systems which are stable when the corpuscles are rotating with an angular velocity greater than a certain value, but which become unstable when the velocity falls below this value. Thus, to take an instance, we saw (p. 249) that four corpuscles can be stable in one plane at the corners of a square, if they are rotating with an angular velocity greater than $\cdot 325 ve^2/mb^3$, but become unstable if the velocity falls below this velocity, the corpuscles in this case tending to place themselves at the corners of a tetrahedron. Consider now the properties of an atom containing a system of corpuscles of this kind, suppose the corpuscles were originally moving with velocities far exceeding the critical velocity; in consequence of the radiation from the moving corpuscles, their velocities will slowly—very slowly—diminish; when, after a long interval, the velocity reaches the critical velocity, there will be what is equivalent to an explosion of the corpuscles, the corpuscles will move far away from their original positions, their potential energy will decrease, while their kinetic energy will increase. The kinetic energy gained in this way might be sufficient to carry the system out of the atom, and we should have, as in the case of radium, a part of the atom shot off. In consequence of the very slow dissipation of energy by radiation the life of the atom would be very long. We have taken the case of the four corpuscles as the type of a system which, like a top, requires for its stability a certain amount of rotation. Any system possessing this property would, in consequence of the gradual dissipation of energy by radiation, give to the atom containing it radioactive properties similar to those conferred by the four corpuscles.

논문 웹페이지

The Scattering of α and β Particles by Matter and the Structure of the Atom

E. Rutherford, F.R.S.*
Philosophical Magazine
Series 6, vol. 21
May 1911, p. 669-688

§ 1. It is well known that the α and the β particles suffer deflexions from their rectilinear paths by encounters with atoms of matter. This scattering is far more marked for the β than for the α particle on account of the much smaller momentum and energy of the former particle. There seems to be no doubt that such swiftly moving particles pass through the atoms in their path, and that the deflexions observed are due to the strong electric field traversed within the atomic system. It has generally been supposed that the scattering of a pencil of α or β rays in passing through a thin plate of matter is the result of a multitude of small scatterings by the atoms of matter traversed. The observations, however, of Geiger and Marsden** on the scattering of α rays indicate that some of the α particles, about 1 in 20,000 were turned through an average angle of 90 degrees in passing though a layer of gold-foil about 0.00004 cm. thick, which was equivalent in stopping-power of the α particle to 1.6 millimetres of air. Geiger*** showed later that the most probable angle of deflexion for a pencil of α particles being deflected through 90 degrees is vanishingly small. In addition, it will be seen later that the distribution of the α particles for various angles of large deflexion does not follow the probability law to be expected if such large deflexion are made up of a large number of small deviations. It seems reasonable to suppose that the deflexion through a large angle is due to a single atomic encounter, for the chance of a second encounter of a kind to produce a large deflexion must in most cases be exceedingly small. A simple calculation shows that the atom must be a seat of an intense electric field in order to produce such a large deflexion at a single encounter.

Recently Sir J. J. Thomson**** has put forward a theory to

* Communicated by the Author. A brief account of this paper was communicated to the Manchester Literary and Philosophical Society in February, 1911.
** Proc. Roy. Soc. lxxxii, p. 495 (1909)
*** Proc. Roy. Soc. lxxxiii, p. 492 (1910)
**** Camb. Lit. & Phil Soc. xv pt. 5 (1910)

explain the scattering of electrified particles in passing through small thicknesses of matter. The atom is supposed to consist of a number N of negatively charged corpuscles, accompanied by an equal quantity of positive electricity uniformly distributed throughout a sphere. The deflexion of a negatively electrified particle in passing through the atom is ascribed to two causes -- (1) the repulsion of the corpuscles distributed through the atom, and (2) the attraction of the positive electricity in the atom. The deflexion of the particle in passing through the atom is supposed to be small, while the average deflexion after a large number m of encounters was taken as [the square root of] $m \cdot \theta$, where θ is the average deflexion due to a single atom. It was shown that the number N of the electrons within the atom could be deduced from observations of the scattering was examined experimentally by Crowther* in a later paper. His results apparently confirmed the main conclusions of the theory, and he deduced, on the assumption that the positive electricity was continuous, that the number of electrons in an atom was about three times its atomic weight.

The theory of Sir J. J. Thomson is based on the assumption that the scattering due to a single atomic encounter is small, and the particular structure assumed for the atom does not admit of a very large deflexion of diameter of the sphere of positive electricity is minute compared with the diameter of the sphere of influence of the atom.

Since the α and β particles traverse the atom, it should be possible from a close study of the nature of the deflexion to form some idea of the constitution of the atom to produce the effects observed. In fact, the scattering of high-speed charged particles by the atoms of matter is one of the most promising methods of attack of this problem. The development of the scintillation method of counting single α particles affords unusual advantages of investigation, and the researches of H. Geiger by this method have already added much to our knowledge of the scattering of α rays by matter.

§ 2. We shall first examine theoretically the single encounters** with an atom of simple structure, which is able to

* Crowther, Proc. Roy. Soc. lxxxiv. p. 226 (1910)
** The deviation of a particle throughout a considerable angle from an encounter with a single atom will in this paper be called 'single' scattering. The deviation of a particle resulting from a multitude of small deviations will be termed 'compound' scattering.

671

produce large deflections of an α particle, and then compare the deductions from the theory with the experimental data available.

Consider an atom which contains a charge $\pm Ne$ at its centre surrounded by a sphere of electrification containing a charge $\pm Ne$ [N.B. in the original publication, the second plus/minus sign is inverted to be a minus/plus sign] supposed uniformly distributed throughout a sphere of radius R. e is the fundamental unit of charge, which in this paper is taken as 4.65×10^{-10} E.S. unit. We shall suppose that for distances less than 10^{-12} cm. the central charge and also the charge on the alpha particle may be supposed to be concentrated at a point. It will be shown that the main deductions from the theory are independent of whether the central charge is supposed to be positive or negative. For convenience, the sign will be assumed to be positive. The question of the stability of the atom proposed need not be considered at this stage, for this will obviously depend upon the minute structure of the atom, and on the motion of the constituent charged parts.

In order to form some idea of the forces required to deflect an alpha particle through a large angle, consider an atom containing a positive charge Ne at its centre, and surrounded by a distribution of negative electricity Ne uniformly distributed within a sphere of radius R. The electric force X and the potential V at a distance r from the centre of an atom for a point inside the atom, are given by

$$X = Ne\left(\frac{1}{r^2} - \frac{r}{R^3}\right)$$

$$V = Ne\left(\frac{1}{r} - \frac{3}{2R} + \frac{r^2}{2R^3}\right).$$

Suppose an α particle of mass m and velocity u and charge E shot directly towards the centre of the atom. It will be brought to rest at a distance b from the centre given by

$$\tfrac{1}{2}mu^2 = \text{NeE}\left(\frac{1}{b} - \frac{3}{2\text{R}} + \frac{b^2}{2\text{R}^3}\right).$$

It will be seen that b is an important quantity in later calculations. Assuming that the central charge is 100 *e*, it can be calculated that the value of b for an α particle of velocity 2.09×10^9 cms. per second is about 3.4×10^{-12} cm. In this calculation b is supposed to be very small compared with R. Since R is supposed to be of the order of the radius of the atom, viz. 10^{-8} cm., it is obvious that the α particle before being turned back penetrates so close to

672

the central charge, that the field due to the uniform distribution of negative electricity may be neglected. In general, a simple calculation shows that for all deflexions greater than a degree, we may without sensible error suppose the deflexion due to the field of the central charge alone. Possible single deviations due to the negative electricity, if distributed in the form of corpuscles, are not taken into account at this stage of the theory. It will be shown later that its effect is in general small compared with that due to the central field.

Consider the passage of a positive electrified particle close to the centre of an atom. Supposing that the velocity of the particle is not appreciably changed by its passage through the atom, the path of the particle under the influence of a repulsive force varying inversely as the square of the distance will be an hyperbola with the centre of the atom S as the external focus. Suppose the particle to enter the atom in the direction PO (fig. 1), and that the direction of motion

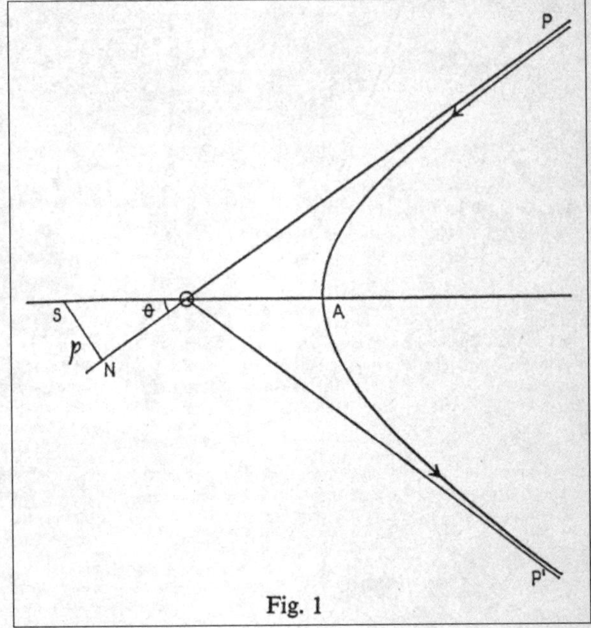

Fig. 1

on escaping the atom is OP'. OP and OP' make equal angles with the line SA, where A is the apse of the hyperbola. p = SN = perpendicular distance from centre on direction of initial motion of particle.

673

Let angle POA = θ.

Let V = velocity of particle on entering the atom, ν its velocity at A, then from consideration of angular momentum

$$pV = SA \,.\, \nu.$$

From conservation of energy

$$(1/2)mV^2 = (1/2)m\nu^2 - (NeE / SA),$$

$$\nu^2 = V^2\,(1 - (b / SA)).$$

Since the eccentricity is sec θ,

$$SA = SO + OA = p \text{ cosec } \theta(1 + \cos \theta)$$

$$= p \cot \theta / 2$$

$$p^2 = SA(SA - b) = p \cot \theta/2(p \cot \theta/2 - b),$$

$$\text{therefore } b = 2p \cot \theta.$$

The angle of deviation θ of the particles is π - 2θ and

$$\cot \theta / 2 = (2p / b) * \ldots . (1)$$

This gives the angle of deviation of the particle in terms of *b,* and the perpendicular distance of the direction of projection from the centre of the atom.

For illustration, the angle of deviation ϕ for different values of *p / b* are shown in the following table: --

p / b	10	5	2	1	0.5	0.25	0.125
ϕ	5°.7	11°.4	28°	53°	90°	127°	152°

§ 3. *Probability of single deflexion through any angle*

Suppose a pencil of electrified particles to fall normally on a thin screen of matter of thickness *t.* With the exception of the few particles which are scattered through a large angle, the particles are supposed to pass nearly normally through the plate with only a small change of velocity. Let n = number of atoms in unit volume of material. Then the number of collisions of the particle with the atom of radius R is $\pi R^2 nt$ in the thickness *t.*

* A simple consideration shows that the deflexion is unaltered if the forces are attractive instead of repulsive.

674

The probability *m* of entering an atom within a distance *p* of its center is given by

$$m = \pi p^2 nt.$$

Chance *dm* of striking within radii *p* and *p* + *dp* is given by

$$dm = 2\pi pnt \,.\, dp = (\pi / 4) ntb^2 \cot \phi/2 \text{ cosec}^2 \phi/2 \, d\phi \ldots . (2)$$

since

$$\cot \phi/2 = 2p / b$$

The value of *dm* gives the fraction of the total number of particles which are deviated between the angles ϕ and ϕ + *d*ϕ.

The fraction *p* of the total number of particles which are deflected through an angle greater than ϕ is given by

$$p = (\pi / 4) ntb^2 \cot^2 \phi/2 \ldots\ldots (3)$$

The fraction *p* which is deflected between the angles ϕ_1 and ϕ_2 is given by

$$p = (\pi / 4)ntb^2 (\cot^2 \phi_1/2 - \cot^2 \phi_2/2) \ldots\ldots\ldots\ldots (4)$$

It is convenient to express the equation (2) in another form for comparison with experiment. In the case of the α rays, the number of scintillations appearing on the *constant* area of the zinc sulphide screen are counted for different angles with the direction of incidence of the particles. Let r = distance from point of incidence of α rays on scattering material, then if Q be the total number of particles falling on the scattering material, the number y of α particles falling on unit area which are deflected through an angle ϕ is given by

$$y = Qdm / 2\pi r^2 \sin \phi \,.\, d\phi = (ntb^2 \,.\, Q \,.\, \mathrm{cosec}^4 \phi/2) / 16r^2 \ldots\ldots (5)$$

Since $b = 2NeE / mu^2$, we see from this equation that the number of α particles (scintillations) per unit area of zinc sulphide screen at a given distance r from the point of

675

Incidence of the rays is proportional to

(1) $\mathrm{cosec}^4 \phi/2$ or $1/\phi^4$ if ϕ be small;
(2) thickness of scattering material t provided this is small;
(3) magnitude of central charge Ne;
(4) and is inversely proportional to $(mu^2)^2$, or to the fourth power of the velocity if m be constant.

In these calculations, it is assumed that the α particles scattered through a large angle suffer only one large deflexion. For this to hold, it is essential that the thickness of the scattering material should be so small that the chance of a second encounter involving another large deflexion is very small. If, for example, the probability of a single deflexion ϕ in passing through a thickness t is 1/1000, the probability of two successive deflexions each of value ϕ is $1/10^6$, and is negligibly small.

The angular distribution of the α particles scattered from a thin metal sheet affords one of the simplest methods of testing the general correctness of this theory of single scattering. This has been done recently for α rays by Dr. Geiger,* who found that the distribution for particles deflected between 30° and 150° from a thin gold-foil was in substantial agreement with the theory. A more detailed account of these and other experiments to test the validity of the theory will be published later.

§ 4. *Alteration of velocity in an atomic encounter*

It has so far been assumed that an α or β particle does not suffer an appreciable change of velocity as the result of a single atomic encounter resulting in a large deflexion of the particle. The effect of such an encounter in altering the velocity of the particle can be calculated on certain assumptions. It is supposed that only two systems are involved, viz., the swiftly moving particle and the atom which it traverses supposed initially at rest. It is supposed that the principle of conservation of momentum and of energy applies, and that there is no appreciable loss of energy or momentum by radiation.

* Manch. Lit. & Phil. Soc. 1910.

676

Let m be mass of the particle,

v_1 = velocity of approach,
v_2 = velocity of recession,
M= mass of atom,
V = velocity communicated to atom as result of encounter.

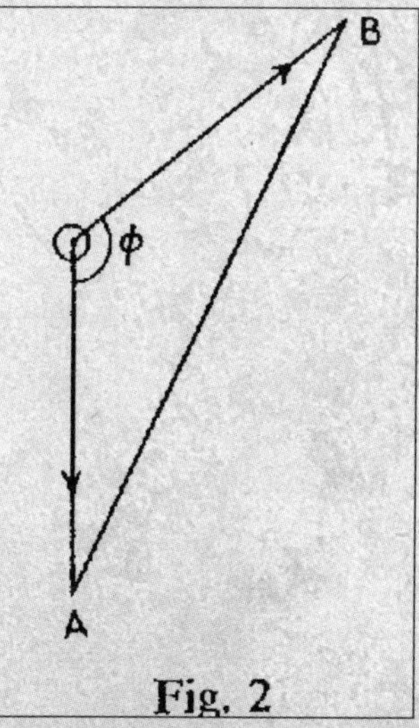

Fig. 2

Let OA (fig. 2) represent in magnitude and direction the momentum mv_1 of the entering particle, and OB the momentum of the receding particle which has been turned through an angle AOB = ϕ. Then BA represents in magnitude and direction the momentum MV of the recoiling atom.

$(MV)^2 = (mv_1)^2 + (mv_2)^2 - 2m^2 v_1 v_2 \cos\phi$ . . . (1)

By conservation of energy

$MV^2 = mv_1{}^2 - mv_2{}^2$ . . . . .(2)

Suppose $M/m = K$ and $v_2 = pv_1$, where $p < 1$.
From (1) and (2),

$$(K+1)\rho^2 - 2\rho\cos\phi = K - 1,$$

or

$$\rho = \frac{\cos\phi}{K+1} + \frac{1}{K+1}\sqrt{K^2 - \sin^2\phi}.$$

Consider the case of an α particle of atomic weight 4, deflected through an angle of 90° by an encounter with an atom of gold of atomic weight 197.

Since K= 49 nearly,

$$p = \sqrt{\frac{K-1}{K+1}} = 0.979$$

or the velocity of the particle is reduced only about 2 per cent. by the encounter.

In the case of aluminium K=27/4 and for $\phi = 90°$ $p = 0.86$.

It is seen that the reduction of velocity of the α particle becomes marked on this theory for encounters with the lighter atoms. Since the range of an α particle in air or other matter is approximately proportional to the cube of the velocity, it follows that an α particle of range 7 cms. has its range reduced to 4.5 cms. after incurring a single

677

deviation of 90° in traversing an aluminium atom. This is of a magnitude to be easily detected experimentally. Since the value of K is very large for an encounter of a β particle with an atom, the reduction of velocity on this formula is very small.

Some very interesting cases of the theory arise in considering the changes of velocity and the distribution of scattered particles when the α particle encounters a light atom, for example a hydrogen or helium atom. A discussion of these and similar cases is reserved until the question has been examined experimentally.

§ 5. *Comparison of single and compound scattering*

Before comparing the results of theory with experiment, it is desirable to consider the relative importance of single and compound scattering in determining the distribution of the scattered particles. Since the atom is supposed to consist of a central charge surrounded by a uniform distribution of the opposite sign through a sphere of radius R, the chance of encounters with the atom involving small deflexions is very great compared with the change of a single large deflexion.

This question of compound scattering has been examined by Sir J. J. Thomson in the paper previously discussed (§1). In the notation of this paper, the average deflexion ϕ_1 due to the field of the sphere of positive electricity of radius R and quantity N*e* was found by him to be

$$\phi_1 = \frac{\pi}{4} \cdot \frac{NeE}{mu^2} \cdot \frac{1}{R}.$$

The average deflexion ϕ_2 due to the N negative corpuscles supposed distributed uniformly throughout the sphere was found to be

$$\phi_2 = \frac{16}{5} \frac{eE}{mu^2} \cdot \frac{1}{R} \sqrt{\frac{3N}{2}}.$$

The mean deflexion due to both positive and negative electricity was taken as

$$(\phi_1^2 + \phi_2^2)^{1/2}$$

In a similar way, it is not difficult to calculate the average deflexion due to the atom with a central charge discussed in this paper.

Since the radial electric field X at any distance *r* from the

678

centre is given by

$$X = Ne\left(\frac{1}{r^2} - \frac{r}{R^3}\right),$$

it is not difficult to show that the deflexion (supposed small) of an electrified particle due to this field is given by

$$\theta = \frac{b}{p}\left(1 - \frac{p^2}{R^2}\right)^{3/2},$$

Where p is the perpendicular from the center on the path of the particles and b has the same value as before. It is seen that the value of θ increases with diminution of p and becomes great for small value of ϕ.

Since we have already seen that the deflexions become very large for a particle passing near the center of the atom, it is obviously not correct to find the average value by assuming θ is small.

Taking R of the order 10^{-8} cm., the value of p for a large deflexions is for α and β particles of the order 10^{-11} cm. Since the chance of an encounter involving a large deflexion is small compared with the chance of small deflexions, a simple consideration shows that the average small deflexion is practically unaltered if the large deflexions are omitted. This is equivalent to integrating over that part of the cross section of the atom where the deflexions are small and neglecting the small central area. It can in this way be simply shown that the average small deflexion is given by

$$\phi_1 = \frac{3\pi}{8}\frac{b}{R}.$$

This value of ϕ_1 for the atom with a concentrated central charge is three times the magnitude of the average deflexion for the same value of Ne in the type of atom examined by Sir J. J. Thomson. Combining the deflexions due to the electric field and to the corpuscles, the average deflexion is

$$(\phi_1{}^2 + \phi_2{}^2)^{1/2} \quad \text{or} \quad \frac{b}{2R}\left(5{\cdot}54 + \frac{15{\cdot}4}{N}\right)^{1/2}.$$

It will be seen later that the value of N is nearly proportional to the atomic weight, and is about 100 for gold. The effect due to scattering of the individual corpuscles expressed by the second term of the equation is consequently small for heavy atoms compared with that due to the distributed electric field.

679

Neglecting the second term, the average deflexion per atom is $3\pi b$ / 8R. We are now in a position to consider the relative effects on the distribution of particles due to single and to compound scattering. Following J. J.

Thomson's argument, the average deflexion θ after passing through a thickness t of matter is proportional to the square root of the number of encounters and is given by

$$\theta_t = \frac{3\pi b}{8R}\sqrt{\pi R^2 . n . t} = \frac{3\pi b}{8}\sqrt{\pi n t},$$

where n as before is equal to the number of atoms per unit volume.

The probability p_1 for compound scattering that the deflexion of the particle is greater than ϕ is equal to $e^{-\phi^2/\theta_t^2}$.

Consequently

$$\phi^2 = -\frac{9\pi^3}{64}b^2 nt \log p_1.$$

Next suppose that single scattering alone is operative. We have seen (§3) that the probability p_2 of a deflexion greater than ϕ is given by

$$p = (\pi / 4)b^2 . n . t (\cot^2 \phi / 2) .$$

By comparing these two equations

$$p_2 \log p_1 = - 0.181\phi^2 \cot^2 \phi / 2 ,$$

ϕ is sufficiently small that

$$\tan \phi/2 = \phi/2,$$

$$p_2 \log p_1 = -0.72$$

If we suppose that

$$p_2 = 0.5, \text{ then } p_1 = 0.24$$

If

$$p_2 = 0.1, \text{ then } p_1 = 0.0004$$

It is evident from this comparison, that the probability for any given deflexion is always greater for single than for compound scattering. The difference is especially marked when only a small fraction of the particles are scattered through any given angle. It follows from this result that the distribution of particles due to encounters with the atoms is for small thicknesses mainly governed by single scattering. No doubt compound scattering produces some effect in equalizing the distribution of the scattered particles; but its effect becomes relatively smaller, the smaller the fraction of the particles scattered through a given angle.

680

§6. *Comparison of Theory with Experiments*

On the present theory, the value of the central charge N*e* is an important constant, and it is desirable to determine its value for different atoms. This can be most simply done by determining the small fraction of α or β particles of known velocity falling on a thin metal screen, which are scattered between ϕ and $\phi + d\phi$ where ϕ is the angle of deflexion, The influence of compound scattering should be small when this fraction is small.

Experiments in these directions are in progress, but it is desirable at this stage to discuss in the light of the present theory the data already published on scattering of α and β particles,

The following points will be discussed: --

(a) The 'diffuse reflexion' of α particles, i.e. the scattering of α particles through large angles (Geiger and Marsden.)
(b) The variation of diffuse reflexion with atomic weight of the radiator (Geiger and Marsden.)
(c) The average scattering of a pencil of α rays transmitted through a thin metal plate (Geiger.)
(d) The experiments of Crowther on the scattering of β rays of different velocities by various metals.

(a) In the paper of Geiger and Marsden (*loc.cit.*) on the diffuse reflexion of α particles falling on various substances it was shown that about 1/8000 of the α particles from radium C falling on a thick plate of platinum are scattered back in the direction of the incidence. This fraction is deduced on the assumption that the α particles are uniformly scattered in all directions , the observation being made for a deflexion of about 90°. The form of experiment is not very suited for accurate calculation, but from the data available it can be shown that the scattering observed is about that to be expected on the theory if the atom of platinum has a central charge of about 100 *e*.

In their experiments on this subject, Geiger and Marsden gave the relative number of α particles diffusely reflected from thick layers of different metals, under similar conditions . The numbers obtained by them are given in the table below, where *z* represents the relative number of scattered particles, measured by the of scintillations per minute on a zinc sulphide screen.

681

Metal	Atomic weight	*z*	$z / A^{3/2}$
Lead	207	62	208
Gold	197	67	242
Platinum	195	63	232
Tin	119	34	226
Silver	108	27	241
Copper	64	14.5	225
Iron	56	10.2	250
Aluminium	27	3.4	243
			Average 233

On the theory of single scattering, the fraction of the total number of α particles scattered through any given angle in passing through a thickness t is proportional to $n \cdot A^2 t$, assuming that the central charge is proportional to the atomic weight A. In the present case, the thickness of matter from which the scattered α particles are able to emerge and affect the zinc sulphide screen depends on the metal. Since Bragg has shown that the stopping power of an atom for an α particle is proportional to the square root of its atomic weight, the value of nt for different elements is proportional to 1 / [square root of] A . In this case t represents the greatest depth from which the scattered α particles emerge. The number z of α particles scattered back from a thick layer is consequently proportional to $A^{3/2}$ or $z / A^{3/2}$ should be a constant.

To compare this deduction with experiment, the relative values of the latter quotient are given in the last column . Considering the difficulty of the experiments, the agreement between theory and experiment is reasonably good.*

The single large scattering of α particles will obviously affect to some extent the shape of the Bragg ionization curve for a pencil of α rays. This effect of large scattering should be marked when the α rays have traversed screens of metals of high atomic weight, but should be small for atoms of light atomic weight.

(c) Geiger made a careful determination of the scattering of α particles passing through thin metal foils, by the scintillation method, and deduced the most probable angle

* The effect of change of velocity in an atomic encounter is neglected in this calculation.

682

through which the α particles are deflected in passing through known thickness of different kinds of matter.

A narrow pencil of homogeneous α rays was used as a source. After passing through the scattering foil , the total number of α particles are deflected through different angles was directly measured. The angle for which the number of scattered particles was a maximum was taken as the most probable angle. The variation of the most probable angle with thickness of matter was determined, but calculation from these data is somewhat complicated by the variation of velocity of the α particles in their passage through the scattering material. A consideration of the curve of distribution of the α particles given in the paper (*loc.cit.* p. 498) shows that the angle through which half the particles are scattered is about 20 per cent greater than the most probable angle.

We have already seen that compound scattering may become important when about half the particles are scattered through a given angle, and it is difficult to disentangle in such cases the relative effects due to the two kinds of scattering. An approximate estimate can be made in the following ways: -- From (§5) the relation between the probabilities p_1 and p_2 for compound and single scattering respectively is given by

$$p_2 \log p_1 = -0.721.$$

The probability q of the combined effects may as a first approximation be taken as

$$q = (p_1^2 + p_2^2)^{1/2}.$$

If $q = 0.5$, it follows that

$$p_1 = 0.2 \text{ and } p_2 = 0.46$$

We have seen that the probability p_2 of a single deflexion greater than ϕ is given by

$$p_2 = (\pi / 4)n \, . \, t \, . \, b^2 (\cot^2 \phi / 2) \, .$$

Since in the experiments considered ϕ is comparatively small

$$\frac{\phi\sqrt{p_2}}{\sqrt{\pi n t}} = b = \frac{2NeE}{mu^2} \, .$$

Geiger found that the most probable angle of scattering of the α rays in passing through a thickness of gold equivalent in stopping power to about 0.76 cm. of air was 1° 40'. The angle ϕ through which half the α particles are tuned thus corresponds to 2° nearly.

$$t = 0.00017 \text{ cm.}; \; n = 6.07 \times 10^{22};$$

$$u \text{ (average value)} = 1.8 \times 10^9.$$

$$E/m = 1.5 \times 10^{14} \text{ E.S. units}; \; e = 4.65 \times 10^{-10},$$

683

Taking the probability of single scattering = 0.46 and substituting the above value in the formula, the value of N for gold comes out to be 97.

For a thickness of gold equivalent in stopping power to 2.12 cms, of air, Geiger found the most probable angle to be 3° 40'. In this case, $t = 0.00047$, $\phi = 4°.4$, and average $u = 1.7 \times 10^9$, and N comes out to be 114.

Geiger showed that the most probable angle of deflexion for an atom was nearly proportional to its atomic weight. It consequently follows that the value for N for different atoms should be nearly proportional to their atomic weights, at any rate for atomic weights between gold and aluminum.

Since the atomic weight of platinum is nearly equal to that of gold, it follows from these considerations that the magnitude of the diffuse reflexion of α particles through more than 90° from gold and the magnitude of the average small angle scattering of a pencil of rays in passing through gold-foil are both explained on the hypothesis of single scattering by supposing the atom of gold has a central charge of about 100 e.

(d) *Experiments of a Crowther on scattering of α rays.* -- We shall now consider how far the experimental results of Crowther on scattering of β particles of different velocities by various materials can be explained on the general theory of single scattering. On this theory, the fraction of β particles p turned through an angel greater than ϕ is given by

$$p = (\pi / 4)n \, . \, t \, . \, b^2 (\cot^2 \phi / 2) \, .$$

In most of Crowther's experiments ϕ is sufficiently small that tan $\phi/2$ may be put equal to $\phi/2$ without much error. Consequently

$$\phi^2 = 2\pi n \, . \, t \, . \, b^2 \text{ if } p = 1/2$$

On the theory of compound scattering, we have already seen that the chance p_1 that the deflexion of the particles is greater than ϕ is given by

$$\phi^2/\log p_1 = -\frac{9\pi^3}{64}n \,.\, t \,.\, b^2.$$

Since in the experiments of Crowther the thickness t of matter was determined for which $p_1 = 1/2$,

$$\phi^2 = 0.96\pi\, n\, t\, b^2.$$

For the probability of 1/2, the theories of single and compound

684

scattering are thus identical in general form, but differ by a numerical constant. It is thus clear that the main relations on the theory of compound scattering of Sir J. J. Thomson, which were verified experimentally by Crowther, hold equally well on the theory of single scattering.

For example, it t_m be the thickness for which half the particles are scattered through an angle ϕ, Crowther showed that ϕ / [square root of] t_m and also mu^2 / E times [square root of] t_m were constants for a given material when ϕ was fixed. These relations hold also on the theory of single scattering. Notwithstanding this apparent similarity in form, the two theories are fundamentally different. In one case, the effects observed are due to cumulative effects of small deflexion, while in the other the large deflexions are supposed to result from a single encounter. The distribution of scattered particles is entirely different on the two theories when the probability of deflexion greater than ϕ is small.

We have already seen that the distribution of scattered α particles at various angles has been found by Geiger to be in substantial agreement with the theory of single scattering, but can not be explained on the theory of compound scattering alone. Since there is every reason to believe that the laws of scattering of α and β particles are very similar, the law of distribution of scattered β particles should be the same as for α particles for small thicknesses of matter. Since the value of mu^2 / E for β particles is in most cases much smaller than the corresponding value for the α particles, the chance of large single deflexions for β particles in passing through a given thickness of matter is much greater than for α particles. Since on the theory of single scattering the fraction of the number of particles which are undeflected through this angle is proportional to kt, where t is the thickness supposed small and k a constant, the number of particles which are undeflected through this angle is proportional to 1 - kt. From considerations based on the theory of compound scattering, Sir J.J. Thomson deduced that the probability of deflexion less than ϕ is proportional to $1 - e^{\mu / t}$ where μ is a constant for any given value of ϕ.

The correctness of this latter formula was tested by Crowther by measuring electrically the fraction I / I_o of the scattered β particles which passed through a circular opening subtending an angle of 36° with the scattering material. If

$$I / I_o = 1 - 1 - e^{\mu / t},$$

the value of I should decrease very slowly at first with

increase of t. Crowther, using aluminium as scattering material, states that the variation of I / I_o was in good accord with this theory for small values of t. On the other hand, if single scattering be present, as it undoubtedly is for α rays, the curve showing the relation between I / I_o and t should be nearly linear in the initial stages. The experiments of Marsden* on scattering of β rays, although not made with quite so small a thickness of aluminium as that used by Crowther, certainly support such a conclusion. Considering the importance of the point at issue, further experiments on this question are desirable.

From the table given by Crowther of the value ϕ / [square root of] t_m for different elements for β rays of velocity 2.68×10^{-10} cms. per second, the value of the central charge Ne can be calculated on the theory of single scattering. It is supposed, as in the case of the α rays, that for given value of ϕ / [square root of] t_m the fraction of the β particles deflected by single scattering through an angle greater than ϕ is 0.46 instead of 0.5

The value of N calculated from Crowther's data are given below.

Element	Atomic weight	ϕ / [square root of] t_m	N
Aluminium	27	4.25	22
Copper	63.2	10.0	42
Silver	108	29	138
Platnium	194	29	138

It will be remembered that the values of N for gold deduced from scattering of the α rays were in two calculations 97 and 114. These numbers are somewhat smaller than the values given above for platinum (viz. 138), whose atomic weight is not very different from gold. Taking into account the uncertainties involved in the calculation from the experimental data, the agreement is sufficiently close to indicate that the same general laws of scattering hold for the α and β particles, notwithstanding the wide differences in the relative velocity and mass of these particles.

As in case of the α rays, the value of N should be most simply determined for any given element by measuring

* Phil. Mag. xviii. p. 909 (1909)

the small fraction of the incident β particles scattered through a large angle. In this way, possible errors due to small scattering will be avoided.

The scattering data for the β rays, as well as for the α rays indicate that the central charge in an atom is approximately proportional to its atomic weight. This falls in with the experimental deductions of Schmidt.* In his theory of absorption of β rays, he supposed that in traversing a thin sheet of matter, a small fraction α of the particles are stopped, and a small fraction β are reflected or scattered back in the direction of incidence. From comparison of the absorption curves of different elements, he deduced that the value of the constant β for different elements is proportional to nA^2 where n is the number of atoms per unit volume and A the atomic weight of the element. This is exactly the relation to be expected on the theory of single scattering if the central charge on an atom is proportional to its atomic weight.

§7. *General Considerations*

In comparing the theory outlined in this paper with the experimental results, it has been supposed that the atom consists of a central charge supposed concentrated at a point, and that the large single deflexions of the α and β particles are mainly due to their passage through the strong central field. The effect of the equal and opposite compensation charge supposed distributed uniformly throughout a sphere has been neglected. Some of the evidence in support of these assumptions will now be briefly considered. For concreteness, consider the passage of a high speed α particle through an atom having a positive central charge N*e*, and surrounded by a compensating charge of N electrons. Remembering that the mass, momentum, and kinetic energy of the α particle are very large compared with the corresponding values of an electron in rapid motion, it does not seem possible from dynamic considerations that an α particle can be deflected through a large angle by a close approach to an electron, even if the latter be in rapid motion and constrained by strong electrical forces. It seems reasonable to suppose that the chance of single deflexions through a large angle due to this cause, if not zero, must be exceedingly small compared with that due to the central charge.

It is of interest to examine how far the experimental evidence throws light on the question of extent of the

Annal. d. Phys. iv. 23. p. 671 (1907)

687

distribution of central charge. Suppose, for example, the central charge to be composed of N unit charges distributed over such a volume that the large single deflexions are mainly due to the constituent charges and not to the external field produced by the distribution. It has been shown (§3) that the fraction of the α particles scattered through a large angle is proportional to $(NeE)^2$, where N*e* is the central charge concentrated at a point and E the charge on the deflected particles, If, however, this charge is distributed in single units, the fraction of the α particles scattered through a given angle is proportional of Ne^2 instead of N^2e^2. In this calculation, the influence of mass of the constituent particle has been neglected, and account has only been taken of its electric field. Since it has been shown that the value of the central point charge for gold must be about 100, the value of the distributed charge required to produce the same proportion of single deflexions through a large angle should be at least 10,000. Under these conditions the mass of the constituent particle would be small compared with that of the α particle, and the difficulty arises of the production of large single deflexions at all. In addition, with such a large distributed charge, the effect of compound scattering is relatively more important than that of single scattering. For example, the probable small angle of deflexion of pencil of α particles passing through a thin gold foil would be much greater than that experimentally observed by Geiger (§ b-c). The large and small angle scattering could not then be explained by the assumption of a central charge of the same value. Considering the evidence as a whole, it seems simplest to suppose that the atom contains a central charge distributed through a very small volume, and that the large single deflexions are due to the central charge as a whole, and not to its constituents. At the same time, the experimental evidence is not precise enough to negative the possibility that a small fraction of the positive charge may be carried by satellites extending some distance from the centre. Evidence on this point could be obtained by examining whether the same central charge is required to explain the large single deflexions of α and β particles; for the α particle must approach much closer to the center of the atom than the β particle of average speed to suffer the same large deflexion.

The general data available indicate that the value of this central charge for different atoms is approximately proportional to their atomic weights, at any rate of atoms heavier than aluminium. It will be of great interest to examine

688

experimentally whether such a simple relation holds also for the lighter atoms. In cases where the mass of the deflecting atom (for example, hydrogen, helium, lithium) is not very different from that of the α particle, the general theory of single scattering will require modification, for it is necessary to take into account the movements of the atom itself (see § 4).

It is of interest to note that Nagaoka* has mathematically considered the properties of the Saturnian atom which he supposed to consist of a central attracting mass surrounded by rings of rotating electrons. He showed that such a system was stable if the attracting force was large. From the point of view considered in his paper, the chance of large deflexion would practically be unaltered, whether the atom is considered to be disk or a sphere. It may be remarked that the approximate value found for the central charge of the atom of gold (100 e) is about that to be expected if the atom of gold consisted of 49 atoms of helium, each carrying a charge of 2 e. This may be only a coincidence, but it is certainly suggestive in view of the expulsion of helium atoms carrying two unit charges from radioactive matter.

The deductions from the theory so far considered are independent of the sign of the central charge, and it has not so far been found possible to obtain definite evidence to determine whether it be positive or negative. It may be possible to settle the question of sign by consideration of the difference of the laws of absorption of the β particles to be expected on the two hypothesis, for the effect of radiation in reducing the velocity of the β particle should be far more marked with a positive than with a negative center. If the central charge be positive, it is easily seen that a positively charged mass if released from the center of a heavy atom, would acquire a great velocity in moving through the electric field. It may be possible in this way to account for the high velocity of expulsion of α particles without supposing that they are initially in rapid motion within the atom.

Further consideration of the application of this theory to these and other questions will be reserved for a later paper, when the main deductions of the theory have been tested experimentally. Experiments in this direction are already in progress by Geiger and Marsden.

University of Manchester
April 1911

Nagaoka, Phil. Mag. vii. p. 445 (1904).

논문 웹페이지

On the Constitution of Atoms and Molecules

N. Bohr,
Dr. phil. Copenhagen
(Received July 1913)

Introduction

In order to explain the results of experiments on scattering of α rays by matter Prof. Rutherford[1] has given a theory of the structure of atoms. According to this theory, the atom consist of a positively charged nucleus surrounded by a system of electrons kept together by attractive forces from the nucleus; the total negative charge of the electrons is equal to the positive charge of the nucleus. Further, the nucleus is assumed to be the seat of the essential part of the mass of the atom, and to have linear dimensions exceedingly small compared with the linear dimensions of the whole atom. The number of electrons in an atom is deduced to be approximately equal to half the atomic weight. Great interest is to be attributed to this atom-model; for, as Rutherford has shown, the assumption of the existence of nuclei, as those in question, seems to be necessary in order to account for the results of the experiments on large angle scattering of the α rays.[2]

In an attempt to explain some of the properties of matter on the basis of this atom-model we meet, however, with difficulties of a serious nature arising from the apparent instability of the system of electrons: difficulties purposely avoid in atom-models previously considered, for instance, in the one proposed by Sir. J.J. Thomson[3] According to the theory of the latter the atom consist of a sphere of uniform positive electrification, inside which the electrons move in circular orbits.

[1]E. Rutherford, Phil. Mag. XXI. p. 669 (1911)
[2]See also Geiger and Marsden, Phil. Mag. April 1913.
[3]J.J. Thomson, Phil. Mag. VII. p. 237 (1904).

The principal difference between the atom-models proposed by Thomson and Rutherford consist in the circumstance that the forces acting on the electrons in the atom-model of Thomson allow of certain configurations and motion of the electrons for which the system is in a stable equilibrium; such configurations, however, apparently do not exist for the second atom- model. The nature of the difference in question will perhaps be most clearly seen by noticing that among the quantities characterizing the fist atom a quantity appears – the radius of the positive sphere – of dimensions of a length and of the same order of magnitude as the linear extension of the atom, while such a length does not appear among the quantities characterizing the second atom, viz. the charges and masses of the electrons and the positive nucleus; nor can it do determined solely by help of the latter quantities.

The way of considering a problem of this kind has, however, undergone essential alterations in recent years owing to the development of the theory of the energy radiation, and the direct affirmation of the new assumptions introduced in this theory, found by experiments on very different phenomena such as specific heats, photoelectric effect, Röntgen-rays, & c. The result of the discussion of these questions seems to be a general acknowledgment of the inadequacy of the classical elecrtodynamics in describing the behaviour of system of atomic size.[4] Whatever the alteration in the laws of motion of the electrons may be, it seems necessary to introduce in the laws in question a quantity foreign to the classical electrodynamics, i.e., Planck's constant, or as it often is called the elementary quantum of action. By the introduction of this quantity the question of the stable configuration of the electrons in the atoms is essentially changed, as this constant is of such dimensions and magnitude that it, together with the mass and charge of the particles, can determine a length of the order of magnitude required.

This paper is an attempt to show that the application of the above ideas to Rutherford's atom-model affords a basis for a theory of the constitution of atoms. It will further be shown that from this theory we are led to a theory of the constitution of molecules.

In the present first part of the paper the mechanism of the binding of electrons by a positive nucleus is discussed in relation to Planck's theory. It will be shown that it is possible from the point of view taken to account in a simple way for the law of the line spectrum of hydrogen. Further, reason are given for a principal hypothesis on which the considerations contained in the following parts are based.

[4]See f. inst., "Theorie du ravonnement et les quanta." Rapports de la rennion a Bruxeless, Nov. 1911, Paris, 1912.

I wish here to express my thinks to Prof. Rutherford for his kind and encouraging interest in this work.

Part I. – Binding of Electrons by Positive Nuclei.

§ 1. *General Considerations*

The inadequacy of the classical electrodynamics in accounting for the properties of atoms from an atom-model as Rutherford's, will appear very clearly if we consider a simple system consisting of a positively charged nucleus of very small dimensions and an electron describing closed orbits around it. For simplicity, let us assume that the mass of the electron is negligibly small in comparison with that of the nucleus, and further, that the velocity of the electron is small compared with that of light.

Let us at first assume that there is no energy radiation. In this case the electron will describe stationary elliptical orbits. The frequency of revolution ω and the major-axis of the orbit $2a$ will depend on the amount of energy W which must be transferred to the system in order to remove the electron to an infinitely great distance apart from the nucleus. Denoting the charge of the electron and of the nucleus by $-e$ and E respectively and the mass of the electron by m, we thus get

$$\omega = \frac{\sqrt{2}}{\pi} \cdot \frac{W^{3/2}}{eE\sqrt{m}}, \qquad 2a = \frac{eE}{W}. \tag{1}$$

Further, it can easily be shown that the mean value of the kinetic energy of the electron taken for a whole revolution is equal to W. We see that if the value of W is not given, there will be no values of ω and a characteristic for the system in question.

Let us now, however, take the effect of the energy radiation into account, calculated in the ordinary way from the acceleration of the electron. In this case the electron will no longer describe stationary orbits. W will continuously increase, and the electron will approach the nucleus describing orbits of smaller and smaller dimensions, and with greater and greater frequency; the electron on the average gaining in kinetic energy at the same time as the whole system loses energy. This process will go on until the dimensions of the orbit are the same order of magnitude as the dimensions of the electron or those of the nucleus. A simple calculation shows that the energy radiated out during the process considered will be enormously great compared with that radiated out by ordinary molecular processes.

It is obvious that the behaviour of such a system will be very different from that of an atomic system occurring in nature. In the first place, the actual atoms in their permanent state to have absolutely fixed dimensions and frequencies. Further, if we consider any process, the result seems always to be that after a certain amount of energy characteristic for the systems in question is radiated out, the system will again settle down in a stable state of equilibrium, in which the distance apart of the particles are of the same order of magnitude as before the process.

Now the essential point in Planck's theory of radiation is that the energy radiation from an atomic system does not take place in the continuous way assumed in the ordinary electrodynamics, but that it, on the contrary, takes place in distinctly separated emissions, the amount of energy radiated out from an atomic vibrator of frequency ν in a single emission being equal to $\tau h\nu$, where τ is an entire number, and h is a universal constant.[5]

Returning to the simple case of an electron and a positive nucleus considered above, let us assume that the electron at the beginning of the interaction with the nucleus was at a great distance apart from the nucleus, and had no sensible velocity relative to the latter. Let us further assume that the electron after interaction has taken place has settled down in a stationary orbit around the nucleus. We shall, for reasons referred to later, assume that the orbit in question is circular: this assumption will, however, make no alteration in the calculations for system containing only a single electron.

Let as now assume that, during the binding of the electron, a homogeneous radiation is emitted of a frequency ν, equal to half the frequency of revolution of the electron in its final orbit; then from Planck's theory, we might expect that the amount of energy emitted by the process considered is equal to $\tau h\nu$, where h is Planck's constant an entire number. If we assume that the radiation emitted is homogeneous, the second assumption concerning the frequency of the radiation suggests itself, since the frequency of revolution of the electron at the beginning of the emission is 0. The question, however, of the rigorous validity of both assumptions, and also of the application made of Planck's theory, will be more closely discussed in § 3.

[5]See f. inst., M. Planck, Ann. d. Phys. XXXI. p. 758 (1910); XXXVII. p. 612 (1912); Verh. Phys. Ges. 1911, p. 138.

Putting

$$W = \tau h \frac{\omega}{2}, \tag{2}$$

we get by help of the formula (1)

$$W = \frac{2\pi^2 me^2 E^2}{\tau^2 h^2}, \quad \omega = \frac{4\pi^2 me^2 E^2}{\tau^3 h^3}, \quad 2a = \frac{\tau^2 h^2}{2\pi^2 meE}. \tag{3}$$

If in these expressions we give τ different values, we get a series of values for W, ω, and a corresponding to a series of configurations of the system. According to the above considerations, we are led to assume that these configurations will correspond to states of the system in which there is no radiation of energy; states which consequently will be stationary as long as the system is not disturbed from outside. We see that the value of W is greatest if τ has its smallest value 1. This case will therefore correspond to the most stable of the system, i.e., will correspond to the binding of the electron for the breaking up of which the greatest amount of energy is required.

Putting in the above expressions $\tau = 1$ and $E = e$, and introducing the experimental values

$$e = 4.7 \cdot 10^{-10}, \quad \frac{e}{m} = 5.31 \cdot 10^{17}, \quad h = 6.5 \cdot 10^{-27},$$

we get

$$2a = 1.1 \cdot 10^{-8} \text{ cm}, \quad \omega = 6.2 \cdot 10^{15} \frac{1}{\text{sec}}, \quad \frac{W}{e} = 13 \text{ volt}.$$

We see that these values are of the same order of magnitude as the linear dimensions of the atoms, the optical frequencies, and the ionization- potentials.

The general importance of Planck's theory for the discussion of the behaviour of atomic system was originally pointed out by Einstein.[6] The considerations of Einstein have been developed and applied on a number of different phenomena, especially by Stark, Nernst, and Sommerfield. The agreement as to the order of magnitude between values observed for the frequencies and dimensions of the atoms, and values for these quantities calculated by considerations similar to those given above, has been the subject of much discussion. It was first pointed out by Haas,[7] in ann attempt to

[6] A. Einstein, Ann. d.Phys. XVII. p. 132 (1905); XX. p. 199 (1906); XXII. p. 180 (1907).

[7] A.E. Haas, Jahrb. d. Rad. u.El. VII. p. 261 (1910). See further, A.Schidlof, Ann. d. Phys. XXXV. p. 90 (1911); E. Wertheimer, Phys. Zietschr. XII. p. 409 (1911), Verh. deutsch. Phys. Ges. 1912, p. 431; F.A. Lindermann, Verh.deutsch.Phys.Ges. 1911, pp. 482, 1107; F. Haber, Verh. deutsch. Phys. Ges. 1911, p. 1117.

explain the meaning and the value of Planck's constant on the basis of J.J. Thomson's atom-model, by help of the linear dimensions and frequency of an hydrogen atom. Systems of the kind considered in this paper, in which the forces between the particles vary inversely as the square of the distance, are discussed in relation to Planck's theory by J.W. Nicholson.[8] In a series of papers this author has shown that it seems to be possible to account for lines of hitherto unknown origin in the spectra of the stellar nebulae and that of the solar corona, by assuming the presence in these bodies of certain hypothetical elements of exactly indicated constitution. The atoms of these elements are supposed to consist simply of a ring of a few electrons surrounding a positive nucleus of negligibly small dimensions. The ratios between the frequencies corresponding to the lines in question are compared with the ratios between the frequencies corresponding to different modes of vibration of the ring of electrons. Nicholson has obtained a relation to Planck's theory showing that the ratios between the wave-lenth of different sets of lines of the coronal spectrum can be accounted for with great accuracy by assuming that the ratio between the energy of the system and the frequency of rotation of the ring is equal to an entire multiple of Planck's constant. The quantity Nicholson refers to as the energy is equal to twice the quantity which we have denoted above by W. In the latest paper cited Nicholson has found it necessary to give the theory a more complicated form, still, however, representing the ratio of energy to frequency by a simple function of whole numbers.

The excellent agreement between the calculated and observed values of the ratios between the wave-length in question seems a strong argument in favour of the validity of the foundation of Nicholson's calculations. Serious objections, however, may be raised against the theory. These objections are intimately connected with the problem of the homogeneity of the radiation emitted. In Nicholson's calculations the frequency of lines in a line-spectrum is identified with the frequency of vibration of a mechanical system in a distinctly indicated state of equilibrium. As a relation from Planck's theory is used, we might expect that the radiation is sent out in quanta; but systems like those considered, in which the frequency is a function of the energy, cannot emit a finite amount of a homogeneous radiation; for, as soon as the emission of radiation is started, the energy and also the frequency of the system are altered. Further, according to the calculation of Nicholson, the systems are unstable for some modes of vibration. Apart from such

[8] J.W. Nicholson, Month. Not. Roy. Astr. Soc. LXXII. pp. 49, 139, 677, 693, 729 (1912).

objections – which may be only formal (see p. 23)?????? – it must be remarked, that the theory in the form given dies not seem to be able to account for the well-known laws of Balmer and Rydberg connecting the frequencies of the lines in the line- spectra of the ordinary elements.

It will now be attempted to show that the difficulties in question disappear if we consider the problems from the point of view taken in this paper. Before proceeding it may be useful to restate briefly the ideas characterizing the calculations on p. 5. The principal assumptions used are:

(1) That the dynamical equilibrium of the systems in the stationary states can be discussed by help of the ordinary mechanics, while the passing of the systems between different stationary states cannot be treated on that basis.

(2) That the latter is followed by the emission of a *homogeneous* radiation, for which the relation between the frequency and the amount of energy emitted is the one given by Planck's theory.

The first assumption seems to present itself; for it is known that the ordinary mechanism cannot have an absolute validity, but will only hold in calculations of certain mean values of the motion of the electrons. On the other hand, in the calculations of the dynamical equilibrium in a stationary state in which there is no relative displacement of the particles, we need not distinguish between the actual motions and their mean values. The second assumption is in obvious constant to the ordinary ideas of electrodynamics, but appears to be necessary in order to account for experimental facts.

In the calculations on page 5 we have further made use of the more special assumptions, viz., that the different stationary states correspond to the emission of a different number of Planck's energy-quanta, and that the frequency of the radiation emitted during the passing of the system from a state in which no energy is yet radiated out to one of the stationary states, is equal to half the frequency of revolution of the electron in the latter state. We can, however (see § 3), also arrive at the expressions (3) for the stationary states by using assumptions of somewhat different from. We shall, therefore, postpone the discussion of the spacial assumptions, and first show how by the help of the above principal assumptions, and of the expressions (3) for the stationary states, we can account for the line-spectrum of hydrogen.

§ 2. *Emission of Line-spectra*

Spectrum of Hydrogen. – General evidence indicates that an atom of hydrogen consist simply of a single electron rotating round a positive nucleus of charge e.[9] The reformation of a hydrogen atom, when the electron has been removed to great distances away from the nucleus – e.g. by the effect of electrical discharge in a vacuum tube – will accordingly correspond to the binding of an electron by a positive nucleus considered on p. 5. If in (3) we put $E = e$, we get for the total amount of energy radiated out by the formation of one of the stationary states,

$$W_r = \frac{2\pi^2 me^4}{\tau^2 h^2}.$$

The amount of energy emitted by the passing of the system from a state corresponding to $\tau = \tau_1$ to one corresponding to $\tau = \tau_2$, is consequently

$$W_{r_2} - W_{r_1} = \frac{2\pi^2 me^4}{h^2} \cdot \left(\frac{1}{\tau_2^2} - \frac{1}{\tau_1^2}\right).$$

If now we suppose that the radiation is question is homogeneous, and that the amount of energy emitted is equal to $h\nu$, where ν is the frequency of the radiation, we get

$$W_{r_2} - W_{r_1} = h\nu$$

and from this

$$\nu = \frac{2\pi^2 me^4}{h^3} \cdot \left(\frac{1}{\tau_2^2} - \frac{1}{\tau_1^2}\right). \tag{4}$$

We see that this expression accounts for the law connecting the lines in the spectrum of hydrogen. If we put $\tau_2 = 2$ and let τ_1 vary, we get the ordinary Balmer series. If we put $\tau_3 = 3$, we get the series in the ultra-red observed by Paschen[10] and previously suspected by Ritz. If we put $\tau_2 = 1$ and $\tau = 4, 5, \ldots$, we get series respectively in the extreme ultraviolet and the extreme ultra-red, which are not observed, but the existence of which may be expected.

[9] See f. inst. N. Bohr, Phil. Mag. XXV. p. 24 (1913). The conclusion drawn in the paper cited in strongly supported by the fact that hydrogen, in the experiments on positive rays of Sir. J.J. Thomson, is the only element which never occurs with a positive charge corresponding to the lose of more than one electron (comp. Phil. Mag. XXIV. p. 672 (1912).

[10] F. Paschen, Ann. d. Phys. XXVII. p.565 (1908).

The agreement in question is quantitative as well as qualitative. Putting

$$e = 4.7 \cdot 10^{-10}, \quad \frac{e}{m} = 5.31 \cdot 10^{17} \quad \text{and} \quad h = 6.5 \cdot 10^{-27},$$

we get

$$\frac{2\pi^2 me^4}{h^3} = 3.1 \cdot 10^{15}.$$

The observed value for the factor outside the bracket in the formula (4) is

$$3.290 \cdot 10^{15}.$$

We agreement between the theoretical and observed values is inside the uncertainty due to experimental errors in the constants entering in the expression for the theoretical value. We shall in § 3 return to consider the possible importance of the agreement in question.

It may be remarked that the fact, that it has not been possibly to observe more than 12 lines of the Balmer series in experiments with vacuum tubes, while 33 lines are observed in the spectra of some celestial bodies, is just what we should expect from the above theory. According to the equation (3) the diameter of the orbit of the electron in the different stationary states is proportional to τ^2. For $\tau = 12$ the diameter is equal to $1.6 \cdot 10{-}6$ cm, or equal to mean distance between the molecules in a gas at a pressure of about 7 mm mercury; for $\tau = 33$ the diameter is equal to $1.2 \cdot 10{-}5$ cm, corresponding to the mean distance of the molecules at a pressure of about 0.02 mm mercury. According to the theory the necessary condition for the appearance of a great number of lines is therefore a very small density of the gas; for simultaneously to obtain an intensity sufficient for observation the space filled with the gas must be very great. If the theory is right, we may therefore never expect to be able in experiments with vacuum tubes to observe the lines corresponding to high numbers of the Balmer series of the emission spectrum of hydrogen; it might, however, be possible to observe the lines by investigation of the absorption spectrum of this gas. (see § 4).

It will be observed that we in the above way do not obtain other series of lines, generally ascribed to hydrogen; for instance, the series first observed by Pickering[11] in the spectrum of the star ζ Puppis, and the set of series recently found by Fowler[12] by experiments with vacuum tubes containing a mixture of hydrogen and helium. We shall, however, see that, by help of the above theory, we can account naturally for these series of lines if we ascribe them to helium.

[11]E.C. Pickering, Astrophys. J. IV. p. 369 (1896); v. p. 92 (1897).

[12]A. Fowler, Mouth. Not. Roy. Astr. Soc. LXXIII. Dec. 1912.

A neutral atom of the latter element consists, according to Rutherford's theory, of a positive nucleus of charge $2e$ and two electrons. Now considering the binding of a single electron by a helium nucleus, we get putting $E = 2e$ in the expressions (3) on page 5, and proceeding in in exactly the same way as above,

$$\nu = \frac{8\pi^2 me^4}{h^3} \cdot \left(\frac{1}{\tau_2^2} - \frac{1}{\tau_1^2}\right) = \frac{2\pi^2 me^4}{h^3} \cdot \left(\frac{1}{(\frac{\tau_2}{2})^2} - \frac{1}{(\frac{\tau_1}{2})^2}\right).$$

If we in this formula put $\tau_1 = 1$ or $\tau_2 = 2$, we get series of lines in the extreme ultra-violet. If we put $\tau_2 = 3$, and let τ_1 vary, we get a series which includes 2 of the series observed by Folwer, and denoted by him as the first and second principal series of the hydrogen spectrum. If we put $\tau_2 = 4$, we get the series observed by Pickering in the spectrum of ζ Puppis. Every second of the lines in this series is identical with a line in the Balmer series of the hydrogen spectrum; the presence of hydrogen in the star in question may therefore account for the fact that these lines are of a greater intensity than the rest of the lines in the series. The series is also observed in the experiments of Fowler, and denoted in his paper as the Sharp series of the hydrogen spectrum. If we finally in the above formula put $\tau_2 = 5, 6, \ldots$, we get series, the strong lines of which are to be expected in the ultra-red.

The reason why the spectrum considered is not observed in ordinary helium tubes may be that in such tubes the ionization of helium is not so complete in the star considered or in the experiments of Fowler, where a strong discharge was sent through a mixture of hydrogen and helium. The condition for the appearance of the spectrum is, according to the above theory, that helium atoms are present in a state in which they have lost both their electrons. Now we must assume that the amount of energy to be used in removing the second electron from a helium atom is much greater than that to be used in removing the first. Further, it is known from experiments on positive rays, that hydrogen atoms can acquire a negative charge; therefore the presence of hydrogen in the experiments of Fowler may effect that more electrons are removed from some of the helium atoms than would be the case if only helium were present.

Spectra of other substances. — in case of systems containing more electrons we must – in conformity with the result of experiments – expect more complicated laws for the line-spectra than those considered. I shall try to show that the point of view taken above allows, at any rate, a certain understanding of the laws observed. According to Rydberg's theory — with the generalization given by Ritz[13] – the frequency corresponding to the lines of the spectrum of an element can be expressed by

$$\nu = F_\tau(\tau_1) - F_s(\tau_2),$$

where τ_1 and τ_2 are entire numbers, and F_1, F_2, $F_3, \ldots$ are functions of τ which approximately are equal to $\frac{K}{(\tau+a_1)^2}, \frac{K}{(\tau+a_2)^2}, \ldots$ K is a universal constant, equal to the factor outside the bracket in the formula (4) for the spectrum of hydrogen. The different series appear if we put τ_1 or τ_2 equal to a fixed number and let the other vary.

The circumstance that the frequency can be written as a difference between two functions of entire numbers suggests an origin of the lines in the spectra in question similar to the one we have assumed for hydrogen; i.e. that the lines correspond to a radiation emitted during the passing of the system between two different stationary states. For system containing more than one electron the detailed discussion may be very complicated, as there will be many different configurations of the electrons which can be taken into consideration as stationary states. This may account for the difference sets of series in the line spectra emitted from the substances in question. Here I shall only try to show how, by help of the theory, it can be simple explained that the constant K entering in Rydberg's formula is the same for all substances. Let us assume that the spectrum in question corresponds to the radiation emitted during the binding of an electron; and let us further assume that the system including the electron considered is neutral. The force on the electron, when at a great distance apart the nucleus and the electrons previously bound, will be very nearly the same as the above case of the binding of an electron by a hydrogen nucleus. The energy corresponding to one of the stationary states will therefore for τ great be very nearly equal to that given by the expression (3) on p. 5, if we put $E = e$. For τ great we consequently get

$$\lim[\tau^2 \cdot F_1(\tau)] = \lim[\tau^2 \cdot F_2(\tau)] = \ldots = \frac{2\pi^2 me^4}{h^3},$$

in conformity with Rydberg's theory.

[13]W. Ritz, Phys. Zeitschr. IX. p. 521 (1908).

§ 3. *General Considerations Continued*

We shall now return to the discussion (see p. 7) of the special assumptions used in deducing the expression (3) on p. 5 for the stationary states of a system consisting of an electron rotating round a nucleus.

For one, we have assumed that the different stationary states correspond to an emission of a different number of energy-qyanta. Considering systems in which the frequency is a function of the energy, this assumption, however, may be regarded as improbable; for as soon as one quantum in sent out the frequency is altered. We shall now see that we can leave the assumption used and still retain the equation (2) on p. 5, and thereby the formal analogy with Planck's theory.

Firstly, it will be observed that it has not been necessary, in order to account for the law of the spectra by help of the expressions (3) for the stationary states, to assume that in any case a radiation is sent out corresponding to more than a single energy-quantum, $h\nu$. Further information on the frequency of the radiation may be obtained by comparing calculations of the energy radiation in the region of slow vibrations based on the above assumptions with calculations based on the ordinary mechanics. As is known, calculations on the latter basis are in agreement with experiments on the energy radiation in the named region.

Let us assume that the ratio between the total amount of energy emitted and the frequency of revolution of the electron for the different stationary states is given by the equation $W = f(\tau) \cdot h\omega$, instead of by the equation (2). Proceeding in the same way as above, we get in this case instead of (3)

$$W = \frac{\pi^2 m e E^2}{2h^2 f^2(\tau)}, \quad \omega = \frac{\pi^2 m e^2 E^2}{2h^3 f^3(\tau)}.$$

Assuming as above that the amount of energy emitted during the passing of the system from a state corresponding to $\tau = \tau_1$ to one for which $\tau = \tau_2$ is equal to $h\nu$, we get instead of (4)

$$\nu = \frac{\pi^2 m e^2 E^2}{2h^3} \cdot \left(\frac{1}{f^2(\tau_2)} - \frac{1}{f^2(\tau_1)} \right).$$

We see that in order to get an expression of the same form as the Balmer series we must put $f(\tau) = c\tau$.

In order to determine c let us now consider the passing of the system between two successive stationary states corresponding to $\tau = N$ and $\tau =$

$N-1$; introducing $f(\tau)=c\tau$, we get for the frequency of the radiation emitted

$$\nu=\frac{\pi^2me^2E^2}{2c^2h^3}\cdot\frac{2N-1}{N^2(N-1)^2}.$$

For the frequency of revolution of the electron before and after the emission we have

$$\omega_N=\frac{\pi^2me^2e^2}{2c^3h^3N^3}\quad\text{and}\quad\omega_{N-1}=\frac{\pi^2me^2E^2}{2c^3h^3(N-1)^3}.$$

If N is great the ratio between the frequency before and after the emission will be very near equal to 1; and according to the ordinary electrodynamics we should therefore expect that the ratio between the frequency of radiation and the frequency of revolution also very nearly equal to 1. This condition will only be satisfied if $c=1/2$. Putting $f(\tau)=\tau/2$, we, however, again arrive at the equation (2) and consequently at the expression (3) for the stationary states.

If we consider the passing of the system between two states corresponding to $\tau=N$ and $\tau=N-n$, where n is small compared with N, we get with the same approximation as above, putting $f(\tau)=\tau/2$,

$$\nu=n\omega.$$

The possibility of an emission of a radiation of such a frequency may also be interpreted from analogy with the ordinary electrodynamics, as an electron rotating round a nucleus in an elliptical orbit will emit a radiation which according to Fourier's theorem can be resolved into homogeneous components, the frequency of which are $n\omega$, if ω is the frequency of revolution of the electron.

We are thus led to assume that the interpretation of the equation (2) is not that the different stationary states correspond to an emission of different numbers of energy-quanta, but that the frequency of the energy emitted during the passing of the system from a state in which no energy is yet radiated out to one of the different stationary states, is equal to different multiples of $\omega/2$, where ω is the frequency of revolution of the electron in the state considered. From this assumption we get exactly the same expressions as before for the stationary states, and from these by help of the principal assumptions on p. 7 the same expression for the law of the hydrogen spectrum. Consequently we may regard our preliminary considerations on p. 5 only as a simple from of representing the results of the theory.

Before we leave the discussion of this question, we shall for a moment return to the question of the significance of the agreement between the observed and calculated values of the constant entering in the expressions (4) for the Balmer series of the hydrogen spectrum. From the above consideration it will follow that, taking the starting-point in the form of the law of the hydrogen spectrum and assuming that the different lines correspond to a homogeneous radiation emitted during the passing between different, stationary states, we shall arrive at exactly the same expression for the constant in question as that given by (4), if we only assume (1) that the radiation is sent out in quanta $h\nu$, and (2) that the frequency of the radiation emitted during the passing of the system between successive stationary states will coincide with the frequency of revolution of the electron in the region of slow vibrations.

As all the assumptions used in this latter way of representing the theory are of what we may call a qualitative character, we are justified in expecting — if the whole way of considering is a sound one – an absolute agreement between the values calculated and observed for the constant in question, and not only an approximate agreement. The formula (40 may therefore be of value in the discussion of the results of experimental determinations of the constants e, m, and h.

While there obviously can be no question of a mechanical foundation of the calculations given in this paper, it is, however, possible to give a very simple interpretation of the result of the calculation on p. 5 by help of symbols taken from the ordinary mechanics. Denoting the angular momentum of the electron round the nucleus by M, we have immediately for a circular orbit $\pi M = T/\omega$, where ω is the frequency of revolution and T the kinetic energy of the electron; for a circular orbit we further have $T = W$ (see p. 3) and from (2), p. 5, we consequently get

$$M = \tau M_0,$$

where

$$M_0 = \frac{h}{2\pi} = 1.04 \cdot 10^{-27}.$$

If we therefore assume that the orbit of the electron in the stationary states is circular, the result of the calculation on p. 5 can be expressed by the simple condition: that the angular momentum of the electron round the nucleus in a stationary state of the system is equal to an entire multiple of a universal value, independent of the charge on the nucleus. The possible importance of the angular momentum in the discussion of atomic systems in relation to Planck's theory is emphasized by Nicholson.[14]

The great number of different stationary states we do not observe expect by investigation of the emission and absorption of radiation. It most of the other physical phenomena, however, we only observe the atoms of the matter in a single distinct state, i,e., the state of the atoms at low temperature. From the preceding considerations we are immediately led to the assumption that the " permanent" state is the one among the stationary states during the formation of which the greatest amount of energy is emitted. According to the equation (3) on p. 5, this state is the one which corresponds to $\tau = 1$.

§ 4. *Absorption of Radiation*

In order to account for Kirchhoff's law it is necessary to introduce assumptions on the mechanism of absorption of radiation which correspond to those we have used considering the emission. Thus we must assume that a system consisting of a nucleus and an electron rotating round it under certain circumstances can absorb a radiation of a frequency equal to the frequency of the homogenous radiation emitted during the passing of the system between different stationary states. Let us consider the radiation emitted during the passing of the system between two stationary states A_1 and A_2 corresponding to values for τ equal to τ_1 and τ_2, $\tau_1 > \tau_2$. As the necessary condition of the radiation in question was the presence of systems in the state A_1, we must assume that the necessary condition for an absorption of the radiation is the presence of systems in the state A_2.

These considerations seems to be in conformity with experiments on absorption in gases. In hydrogen gas at ordinary conditions for instance there is no absorption of a radiation of a frequency corresponding to the line-spectrum of this gas; such an absorption is only observed in hydrogen gas in a luminous state. This is what we should expect according to the above. We have on p. 9 assumed that the radiation in question was emitted during the passing of the systems between stationary states corresponding to $\tau \geq 2$. The state of the atoms in hydrogen gas at ordinary conditions should, however, correspond to $\tau = 1$; furthermore, hydrogen atoms at ordinary conditions combine into molecules, i.e., into system in which the electrons have frequencies different from those in the atoms (see Part III.) From the circumstance that certain substances in a non-lumimous state, as,

[14] J.W. Nicholson, loc. cit. p. 679.

foe instance, sodium vapour, absorb radiation corresponding to lines in the line-spectra of the substances, we may, on the other hand, conclude that the lines in question are emitted during the passing of the system between two states, one of which is the permanent state.

How much the above considerations differ from an interpretation based on the ordinary electrodynamic of perhaps most early shown by the fact that we have been forced to assume that a system of electrons will absorb a radiation of a frequency different from the frequency of vibration of the electrons calculated in the ordinary way. It may in this connexion be of interest to mention a generalization of the considerations to which we are led by experiments on the photo-electric effect and which may be able to throw some light on the problem in question. Let us consider state of the system in which the electron is free, i.e., in which the electron possesses kinetic energy sufficient to remove to infinite distances from the nucleus. If we assume that the motion of the electron is governed by the ordinary mechanics and that there is no (sensible) energy radiation, the total energy of the system – as in the above considered stationary states – will be constant. Further, there will be perfect continuity between the two kinds of states, as the difference between frequency and dimensions of the system in successive stationary states will diminish without limit if τ increases. In the following considerations we shall for the sake of brevity refer to the two kinds of states in question as " mechanical" states; by this notation only emphasizing the assumption that the motion of the electron in both cases can be assumed for by the ordinary mechanics.

Tracing the analogy between the two kinds of mechanical states, we might now expect the possibility of an absorption of radiation, not only corresponding to the passing of the system between two different stationary states, but also corresponding to the passing between one of the stationary states and a state in which the electron is free; and as above, we might expect that the frequency of this radiation was determined by the equation $E = h\nu$, where E is the difference between the total energy of the system in the two states. As it will be see, such an absorption of radiation is just what is observed in experiments on ionization by ultra-violet light and by Röntgen rays. Obviously, we get in this way the same expression for the kinetic energy of an electron ejected from an atom by photo-electron effect as that deduced by Einstein[15] i.e., $T = h\nu - W$, where T is the kinetic energy of the electron ejected, and W the total amount of energy emitted during the original binding of the electron.

[15] A. Einstein, Ann. d. Phys. XVII. p. 146 (1905).

The above considerations may further account for the result of some experiments of R.W. Wood[16] on absorption of light by sodium vapour. In these experiments, an absorption corresponding to a very great number of lines in the principal series of the sodium spectrum is observed, and in addition a continuous absorption which begins at the head of the series and extends to the extreme ultra-violet. This is exactly what we should expect according to the analogy in question, and, as we shall see, a closer consideration of the above experiments allows us to trance the analogy still further. As mentioned on p. 9 the radii of the orbits of the electrons will for stationary states, corresponding to high values for τ be very great compared with ordinary atomic dimensions. This circumstance was used as an explanation of the non-appearance in experiments with vacuum-tubes of lines corresponding to the higher numbers in the Balmer series of the hydrogen spectrum. This is also in conformity with experiments on the emission spectrum of sodium; in the principal series of the emission spectrum of this substance rather few lines are observed. Now in Wood's experiments the pressure was not very low, the states corresponding to high values for τ could therefore not appear; yet in the absorption spectrum about 50 lines were detected. In the experiments in question we consequently observe an absorption of radiation which is not accompanied by a complete transition between two different stationary states. According to the present theory we must assume that this absorption is followed by an emission of energy during which the systems pass back to the original stationary state. If there are no collisions between the different systems this energy will be emitted as a radiation of the same frequency as that absorbed, and there will be no true absorption but only a scattering of the original radiation; a true absorption will not occur unless the energy in question is transformed by collisions into kinetic energy of free particles. In analogy we may now from the above experiments conclude that a bound electron – also in cases in which three is no ionization – will have an absorbing (scattering) influence on a homogeneous radiation, as soon as the frequency of the radiation is greater than W/h, where W is the total amount of energy emitted during the binding of the electron. This would be highly in favour of a theory of absorption as the one sketched above, as there can in such a case be no question of a coincidence of the frequency of the radiation and a characteristic frequency of vibration of the electron. If will further be seen that the assumption, that there will be an absorption (scattering) of any radiation corresponding to a transition between two different mechanical states, is in perfect analogy with the

[16] R.W. Wood, Physical Optics, p. 513 (1911).

assumption generally used that a free electron will have an absorbing (scattering) influence on light of any frequency. Corresponding considerations will hold for the emission of radiation.

In analogy to the assumption used in this paper that the emission of line- spectra is due to the re-formation of atoms after one or more of the lightly bound electrons are removed, we may assume that the homogeneous Röntgen radiation is emitted during the setting down of the systems after one of the firmly bound electrons escapes, e.g. by impact of cathode particles.[17] In the next part in this paper, dealing with the constitution of atoms, we shall consider the question more closely and try to show that a calculation based on this assumption is in quantitative agreement with the results of experiments: here we shall only mention briefly a problem with which we meet in such a calculation.

Experiments on the phenomena of X-rays suggest that not only the emission and absorption of radiation cannot be treated by the help of the ordinary electrodynamics, but not even the result of a collision between two electrons of which the one is bound in an atom. This is perhaps most early shown by some very instructive calculations on the energy of β-particles emitted from radioactive substances recently published by Rutherford.[18] These calculations strongly suggest that an electron of great velocity in passing through an atom and colliding with the electrons bound will loose energy in distinct finite quanta. As is immediately seen, this is very different from what we might expect if the result of the collisions was governed by the usual mechanical laws. The failure of the classical mechanics in such a problem might also be expected beforehand from the absence of anything like equipartition of kinetic energy between free electrons and electrons bound in atoms. From the point of view of the "mechanical" states we see, however, that the following assumption – which is in accord with the above analogy – might be able to account for the result of Rutherford's calculation and for the absence of equipartition of kinetic energy; two colliding electrons, bound or free, will, after the collision as well as before, be in mechanical states. Obviously, the introduction of such an assumption would not make any alteration necessary in the classical treatment of a collision between two free particles. But, considering a collision between a free and a bound electron, it would follow that the bound electron by the collision could not acquire a less amount of energy than the difference in energy corresponding to successive stationary states, and consequently that the free electron which collides with it could

[17] Compare J.J. Thomson, Phil. Mag. XXIII. p. 456 (1912).

[18] E. Rutherford, Phil. Mag. XXIV. pp. 453 & 893 (1912).

not lose a less amount.

The preliminary and hypothetical character of the above considerations needs not to be emphasized. The intention, however, has been to show that the sketched generalization of the theory of the stationary states possibly may afford a simple basis of representing a number of experimental facts which cannot be explained by help of the ordinary electrodynamics, and that assumptions used do not seem to be inconsistent with experiments on phenomena for which a satisfactory explanation has been given by the classical dynamics and the wave theory of light.

§ 5. *The permanent State of an Atomic System*

We shall now return to the main object of this paper – the discussion of the "permanent" state of a system consisting of nuclei and bound electrons. For a system consisting of a nucleus and an electron rotating round it, this state is, according to the above, determined by the condition that the angular momentum of the electron round the nucleus is equal to $h/2\pi$.

On the theory of this paper the only neutral atom which contains a single electron is the hydrogen atom. The permanent state of this atom should correspond to the values of a and ω calculated on p. 5. Unfortunately, however, we know very little of the behaviour of hydrogen atoms on account of the small dissociation of hydrogen molecules at ordinary temperatures. In order to get a closer comparison with experiments, it is necessary to consider more complicated systems.

Considering systems in which more electrons are bound by a positive nucleus, a configuration of the electrons which presents itself as a permanent state is in which the electrons are arranged in a ring round the nucleus. In the discussion of this problem on the basis of the ordinary electrodynamics, we meet– apart from the question of the energy radiation – with new difficulties due to the question of the stability of the ring. Disregarding for a moment this latter difficulty, we shall first consider the dimensions and frequency of the systems in relation to Planck's theory of radiation.

Let us consider a ring consisting of n electrons rotating round a nucleus of charge E, the electrons being arranged at equal angular intervals the circumference of a circle of radius a.

The total potential energy of the system consisting of the electrons and the nucleus is

$$P = -\frac{ne}{a} \cdot (E - es_n),$$

where

$$s_n = \frac{1}{4} \sum_{s=1}^{s=n-1} \operatorname{cosec} \frac{s\pi}{n}.$$

For the radial force exerted on an electron by the nucleus and the other electrons we get

$$F = -\frac{1}{n} \cdot \frac{dP}{da} = -\frac{e}{a^2} \cdot (E - es_n).$$

Denoting the kinetic energy of an electron by T and neglecting the electromagnetic forces due to the motion of the electrons (see Part II), we get, putting the centrifugal force on an electron equal to the radial force,

$$\frac{2T}{a} = \frac{e}{a^2} \cdot (E - es_n),$$

or

$$T = \frac{e}{2a} \cdot (E - es_n).$$

From this we get for the frequency of revolution

$$\omega = \frac{1}{2\pi} \cdot \sqrt{\frac{e\,(E - es_n)}{ma^3}}.$$

The total amount of energy W necessary transferred to the system in order to remove the electrons to infinite distances apart from the nucleus and from each other is

$$W = -P - nT = \frac{ne}{2a} \cdot (E - es_n) = nT,$$

equal to the total kinetic energy of the electrons.

We see that the only difference in the above formula and those holding for the motion of a single electron in a circular orbit round a nucleus is the exchange of E for $E - es_n$. It is also immediately seen that corresponding to the motion of an electron in an elliptical orbit round a nucleus, there will be a motion of the n electrons in which each rotates in an elliptical orbit with the nucleus in the focus, and the n electrons at any moment are situated at equal angular intervals on a circle with the nucleus as the centre. The major axis and frequency of the orbit of the single electrons will for this motion be given by the expressions (1) on p. 3 if we replace E by $E - es_n$ and W by W/n. Let us now suppose that the system of n electrons rotating in a ring round a nucleus is formed in a way analogous to the one assumed for a single electron rotating round a nucleus. It will thus be assumed that the electrons, before the binding by the nucleus, were at a great distance apart from the latter and possessed no sensible velocities, and also that during the binding a homogeneous radiation is emitted. As in the case of a single electron, we have here that the total amount of energy emitted during the formation of the system is equal to the final kinetic energy of the electrons. If we now suppose that during the formation of the system the electrons at any moment are situated at equal angular intervals on the circumference of a circle with the nucleus in the centre, from analogy with the considerations, on p. 5 we are here led to assume the existence of a series of stationary configurations in which the kinetic energy per electron is equal to $\tau h\omega/2$, where τ is an entire number, h Planck's constant, and ω the frequency of revolution. The configuration in which the greatest amount of energy is emitted is, as before, the one in which $\tau = 1$. This configuration we shall assume to be the permanent state of the system if the electrons in this state are arranged in a single ring. As for the case of a single 3electron we get that the angular momentum of each of the electrons is equal to $h/2\pi$. It may be remarked that instead of considering the single electrons we might have considered the ring as an entity. This would, however, lead to the same result, for in this case the frequency of revolution ω will be replaced by the frequency $n\omega$ of the radiation from the whole ring calculated from ordinary electrodynamics, and T by the total kinetic energy nT.

There may be many other stationary states corresponding to other ways of forming the system. The assumption of the existence of such states seems necessary in order to account for the line-spectra of systems containing more than one electron (p. 11); it is also suggested by the theory of Nicholson mentioned on p. 6, to which we shall return in a moment. The consideration of the spectra, however, gives, as far as I can see, no indication of the existence of stationary states in which all the electrons are arranged in a ring and which correspond to greater values for the total energy emitted than the one we above have assumed to be the permanent state. Further, there may be stationary configurations of a system of n electrons and a nucleus of charge E in which all the electrons are not arranged in a single ring. The question, however, of the existence of such stationary configurations is not essential for our determination of the permanent state, as long as we assume that the electrons in this state of the system are arranged in a single ring. Systems corresponding to more complicated configurations will be discussed on p. 24.?????

Using the relation $T = h\omega/2$ we get, by help of the above expressions for T and ω, values for a and ω corresponding to the permanent state of the system which only differ from those given by the equations (3) on p. 5, by exchange of E for $E - es_n$.

The question of stability of a ring of electrons rotating round a positive charge is discussed in great detail by Sir. J.J. Thomson[19] An adaption of Thomson's analysis for the case here considered of a ring rotating round a nucleus of negligibly small linear dimensions is given by Nicholson.[20] The investigation of the problem in question naturally divides in two parts: one concerning the stability for displacements of the electrons on the plane of the ring; one concerning displacements perpendicular to this plane. As Nicholson's calculations show, the answer to the question of stability differs very much in the two cases in question. While the ring for the latter displacements in general is stable if the number of electrons is not great; the ring is in no case considered by Nicholson stable for displacement of the first kind.

According, however, to the point of view taken in this paper, the question of stability for displacements of the electrons in the plane of the ring is most intimately connected with the question of the mechanism of the binding of the electrons, and like the latter cannot be treated on the basis of the ordinary dynamics. The hypothesis of which we shall make use in the following is that the stability of a ring of electrons rotating round a nucleus is secured through the above condition of the universal constancy of the angular momentum, together with the further condition that the configuration of the particles is the one by the formation of which the greatest of energy is emitted. As will be shown, this hypothesis is, concerning the question of stability for a displacement of the electrons perpendicular to the plane of the ring, equivalent to that used in ordinary mechanical calculations.

Returning to the theory of Nicholson on the origin of lines observed in the spectrum of the solar corona, we shall now see that the difficulties mentioned on p. 7 may be only formal. In the first place, from the point of view considered above the objection as to the instability of the systems for displacements of the electrons in the plane of the ring may not be valid. Further, the objection as to emission of the radiation in quanta will not have reference to the calculations in question, if we assume that in the coronal spectrum we are not dealing with a true emission but only with a scattering of radiation. This assumption seems probable if we consider the conditions in the celestial body in question: for on account comparatively few collisions to disturb the stationary states and to cause a true emission of light corresponding to the transition between different stationary states; on the

[19]Loc. cit.
[20]Loc. cit.

other hand there will in the solar corona be intense illumination of light of all frequencies which may excite the natural vibrations of the systems in the different stationary states. If the above assumption is correct, we immediately understand the entirely different from for the laws connecting the lines discussed by Nicholson and those connecting the ordinary line-spectra considered in this paper.

Proceeding to consider systems of more complicated constitution, we shall make use of the following theorem, which can be very simply proved; – "In every system consisting of electrons and positive nuclei, in which the nuclei are at rest and the electrons move in circular orbits with a velocity small compared with the velocity of light, the kinetic energy will be numerically equal to half the principal energy."

By help of this theorem we get – as in the previous cases of a single electron or of a ring rotating round a nucleus – that the total amount of energy emitted, by the formation of the systems from a configuration in which the distances apart of the particles are infinitely great and in which the particles have no velocities relative to each other, is equal to the kinetic energy of the electrons in the final configuration.

In analogy with the case of a single ring we are here led to assume that corresponding to any configuration of equilibrium a series of geometrically similar, stationary configuration of the system will exist in which the kinetic energy of every electron is equal to the frequency of revolution multiplied by $\tau/2h$ where τ is an entire number and h Planck's constant. In any such series of stationary configurations the one corresponding to the greatest amount of energy emitted will be the one in which τ for every electron is equal to 1. Considering that the ratio of kinetic energy to frequency for a particle rotating in a circular orbit is equal to π times the angular momentum round the center of the orbit, we are therefore led to the following simple generalization of the hypotheses mentioned on pp. 15 and 22. ??????

"In any molecular system consisting of positive nuclei and electrons in which the nuclei are at rest relatire to each other and the electrons more in circular orbits, the angular momentum of every electron round the centre of its orbit will in the permanent state of the system be equal to $h/2\pi$, where h is Planck's constant."[21]

In analogy with the considerations on p. 23, we shall assume that a

[21] In the considerations leading to this hypothesis we have assumed that the velocity of the electrons is small compared with the velocity of light. The limits of the validity of this assumption will be discussed in Part II.

configuration satisfying this condition is stable if the total energy of the system is less than in any neighbouring configuration satisfying the same condition of the angular momentum of the electrons.

As mentioned in the introduction, the above hypothesis will be used in a following communication as a basis for a theory of the constitution of atoms and molecules. It will be shown that it leads to results which seem to be in conformity with experiments on a number of different phenomena.

The foundation of the hypothesis has been sought entirely in its relation with Planck's theory of radiation; by help of considerations given later it will be attempted to throw some further light on the formation of it from another point of view.

April 5, 1913

논문 웹페이지

위대한 논문과의 만남을 마무리하며

이 책은 20세기의 원자모형에 대한 세 가지 논문(1904년 톰슨, 1911년 러더퍼드, 1913년 보어)에 초점을 맞추었습니다. 시계를 20세기 초로 돌려 1904년 톰슨의 논문과 거의 같은 시기에 발표된 일본인 최초의 물리학자 나가오카의 논문에 대한 언급도 했습니다. 우리나라의 물리학자들보다 반 세기 이상 앞서 국제학술지에 논문을 게재한 일본의 물리역사를 보면서 언젠가 우리나라도 노벨물리학상 수상 시대를 열기를 바라는 마음에서 나가오카의 이야기를 담았습니다. 이 책은 오로지 톰슨, 러더퍼드, 보어의 오리지널 논문의 해설과 이 논문의 역사적 배경만을 다루었으며 난해한 부분은 이 강의에서 배제하면서 고등학교의 수학만으로 세 논문을 이해할 수 있도록 초점을 맞추었습니다.

이 책을 쓰기 위해 19세기부터 20세기 초의 많은 논문을 보았습니다. 지금과는 완연히 다른 용어와 기호 때문에 많이 힘들었습니다. 특히 번역이 안 되어 있는 프랑스 논문은 불문과를 졸업한 아내의 도움으로 조금은 이해할 수 있게 되었습니다.

보어는 이 논문을 쓰기 전까지 많은 책을 공부했고, 특히 역학의 원운동에 대해 많은 공부를 했습니다. 게다가 19세기 말 발머의 논문부터 앞선 원자모형인 톰슨, 러더퍼드의 논문도 철저하게 연구했습니다. 이런 배경으로 그는 혁명적인 가설인 각운동량의 양자화가설를 세울 수 있었습니다. 이 책에서는 스쳐지나간 역학 이야기도 언젠가 기회가 된다면 집필하고 싶다는 생각이 듭니다.

이 책을 끝내자마자 다시 물질의 이중성을 발표한 드브로이, 불확정성원리를 발표한 하이젠베르크, 보른, 요르단의 논문을 공부하며, 시리즈를 계속 이어나갈 생각을 하니 즐거움이 앞섭니다. 이 즐거움이 많은 사람에게 전파되기를 바라며 이제 힘들었지만 재미있었던 세 편의 논문과의 씨름을 여기서 멈추려고 합니다.

진주에서 정완상 교수

이 책을 위해 참고한 논문들

5장

[1] J. Balmer, "Notiz uber die Spectrallinien des Wasserstoffs", Annalen der Physik, 261, 80 (1885),

[2] Bohr, Niels (1913). "On the Constitution of Atoms and Molecules", Philosophical Magazine. 26 (151): 1-24.

[3] W. Wilson (1915). "The quantum theory of radiation and line spectra". Philosophical Magazine. 29 (174): 795-802.

[4] A. Sommerfeld (1916). "Zur Quantentheorie der Spektrallinien". Annalen der Physik (in German). 51 (17): 1-94.

수식에 사용하는 그리스 문자

대문자	소문자	읽기	대문자	소문자	읽기
A	α	알파(alpha)	N	ν	뉴(nu)
B	β	베타(beta)	Ξ	ξ	크시(xi)
Γ	γ	감마(gamma)	O	o	오미크론(omicron)
Δ	δ	델타(delta)	Π	π	파이(pi)
E	ε	엡실론(epsilon)	P	ρ	로(rho)
Z	ζ	제타(zeta)	Σ	σ	시그마(sigma)
H	η	에타(eta)	T	τ	타우(tau)
Θ	θ	세타(theta)	Y	υ	입실론(upsilon)
I	ι	요타(iota)	Φ	φ	피(phi)
K	κ	카파(kappa)	X	χ	키(chi)
Λ	λ	람다(lambda)	Ψ	ψ	프시(psi)
M	μ	뮤(mu)	Ω	ω	오메가(omega)

노벨 물리학상 수상자들을 소개합니다

이 책에 언급된 노벨상 수상자는 이름 앞에 ★로 표시하였습니다.

연도	수상자	수상 이유
1901	빌헬름 콘라트 뢴트겐	그의 이름을 딴 놀라운 광선의 발견으로 그가 제공한 특별한 공헌을 인정하여
1902	헨드릭 안톤 로런츠	복사 현상에 대한 자기의 영향에 대한 연구를 통해 그들이 제공한 탁월한 공헌을 인정하여
	피터르 제이만	
1903	앙투안 앙리 베크렐	자발 방사능 발견으로 그가 제공한 탁월한 공로를 인정하여
	피에르 퀴리	앙리 베크렐 교수가 발견한 방사선 현상에 대한 공동 연구를 통해 그들이 제공한 탁월한 공헌을 인정하여
	마리 퀴리	
1904	존 윌리엄 스트럿 레일리	가장 중요한 기체의 밀도에 대한 조사와 이러한 연구와 관련하여 아르곤을 발견한 공로
1905	필리프 레나르트	음극선에 대한 연구
1906	조지프 존 톰슨	기체에 의한 전기 전도에 대한 이론적이고 실험적인 연구의 큰 장점을 인정하여
1907	앨버트 에이브러햄 마이컬슨	광학 정밀 기기와 그 도움으로 수행된 분광 및 도량형 조사
1908	가브리엘 리프만	간섭 현상을 기반으로 사진적으로 색상을 재현하는 방법
1909	굴리엘모 마르코니	무선 전신 발전에 기여한 공로를 인정받아
	카를 페르디난트 브라운	
1910	요하네스 디데릭 판데르발스	기체와 액체의 상태 방정식에 관한 연구
1911	빌헬름 빈	열복사 법칙에 관한 발견
1912	닐스 구스타프 달렌	등대와 부표를 밝히기 위해 가스 어큐뮬레이터와 함께 사용하기 위한 자동 조절기 발명

1913	헤이커 카메를링 오너스	특히 액체 헬륨 생산으로 이어진 저온에서의 물질 특성에 대한 연구
1914	막스 폰 라우에	결정에 의한 X선 회절 발견
1915	윌리엄 헨리 브래그	X선을 이용한 결정 구조 분석에 기여한 공로
	윌리엄 로런스 브래그	
1916	수상자 없음	
1917	찰스 글러버 바클라	원소의 특징적인 뢴트겐 복사 발견
1918	막스 플랑크	에너지 양자 발견으로 물리학 발전에 기여한 공로 인정
1919	요하네스 슈타르크	커낼선의 도플러 효과와 전기장에서 분광선의 분할 발견
1920	샤를 에두아르 기욤	니켈강 합금의 이상 현상을 발견하여 물리학의 정밀 측정에 기여한 공로를 인정하여
1921	알베르트 아인슈타인	이론 물리학에 대한 공로, 특히 광전효과 법칙 발견
1922	★닐스 보어	원자 구조와 원자에서 방출되는 방사선 연구에 기여
1923	로버트 앤드루스 밀리컨	전기의 기본 전하와 광전효과에 관한 연구
1924	칼 만네 예오리 시그반	X선 분광학 분야에서의 발견과 연구
1925	제임스 프랑크	전자가 원자에 미치는 영향을 지배하는 법칙 발견
	구스타프 헤르츠	
1926	장 바티스트 페랭	물질의 불연속 구조에 관한 연구, 특히 침전 평형 발견
1927	아서 콤프턴	그의 이름을 딴 효과 발견
	찰스 톰슨 리스 윌슨	수증기 응축을 통해 전하를 띤 입자의 경로를 볼 수 있게 만든 방법
1928	오언 윌런스 리처드슨	열전자 현상에 관한 연구, 특히 그의 이름을 딴 법칙 발견
1929	루이 드브로이	전자의 파동성 발견
1930	찬드라세카라 벵카타 라만	빛의 산란에 관한 연구와 그의 이름을 딴 효과 발견
1931	수상자 없음	

1932	★베르너 하이젠베르크	수소의 동소체 형태 발견으로 이어진 양자역학의 창시
1933	★에르빈 슈뢰딩거	원자 이론의 새로운 생산적 형태 발견
	★폴 디랙	
1934	수상자 없음	
1935	제임스 채드윅	중성자 발견
1936	빅토르 프란츠 헤스	우주 방사선 발견
	칼 데이비드 앤더슨	양전자 발견
1937	클린턴 조지프 데이비슨	결정에 의한 전자의 회절에 대한 실험적 발견
	조지 패짓 톰슨	
1938	엔리코 페르미	중성자 조사에 의해 생성된 새로운 방사성 원소의 존재에 대한 시연 및 이와 관련된 느린중성자에 의한 핵반응 발견
1939	어니스트 로런스	사이클로트론의 발명과 개발, 특히 인공 방사성 원소와 관련하여 얻은 결과
1940	수상자 없음	
1941		
1942		
1943	오토 슈테른	분자선 방법 개발 및 양성자의 자기 모멘트 발견에 기여
1944	이지도어 아이작 라비	원자핵의 자기적 특성을 기록하기 위한 공명 방법
1945	볼프강 파울리	파울리 원리라고도 불리는 배제 원리의 발견
1946	퍼시 윌리엄스 브리지먼	초고압을 발생시키는 장치의 발명과 고압 물리학 분야에서 그가 이룬 발견에 대해
1947	에드워드 빅터 애플턴	대기권 상층부의 물리학 연구, 특히 이른바 애플턴층의 발견
1948	패트릭 메이너드 스튜어트 블래킷	윌슨 구름상자 방법의 개발과 핵물리학 및 우주 방사선 분야에서의 발견
1949	유카와 히데키	핵력에 관한 이론적 연구를 바탕으로 중간자 존재 예측

1950	세실 프랭크 파월	핵 과정을 연구하는 사진 방법의 개발과 이 방법으로 만들어진 중간자에 관한 발견
1951	존 더글러스 콕크로프트	인위적으로 가속된 원자 입자에 의한 원자핵 변환에 대한 선구자적 연구
	어니스트 토머스 신턴 월턴	
1952	펠릭스 블로흐	핵자기 정밀 측정을 위한 새로운 방법 개발 및 이와 관련된 발견
	에드워드 밀스 퍼셀	
1953	프리츠 제르니커	위상차 방법 시연, 특히 위상차 현미경 발명
1954	★막스 보른	양자역학의 기초 연구, 특히 파동함수의 통계적 해석
	발터 보테	우연의 일치 방법과 그 방법으로 이루어진 그의 발견
1955	윌리스 유진 램	수소 스펙트럼의 미세 구조에 관한 발견
	폴리카프 쿠시	전자의 자기 모멘트를 정밀하게 측정한 공로
1956	윌리엄 브래드퍼드 쇼클리	반도체 연구 및 트랜지스터 효과 발견
	존 바딘	
	월터 하우저 브래튼	
1957	양전닝	소립자에 관한 중요한 발견으로 이어진 소위 패리티 법칙에 대한 철저한 조사
	리정다오	
1958	파벨 알렉세예비치 체렌코프	체렌코프 효과의 발견과 해석
	일리야 프란크	
	이고리 탐	
1959	에밀리오 지노 세그레	반양성자 발견
	오언 체임벌린	
1960	도널드 아서 글레이저	거품 상자의 발명
1961	로버트 호프스태터	원자핵의 전자 산란에 대한 선구적인 연구와 핵자 구조에 관한 발견
	루돌프 뫼스바워	감마선의 공명 흡수에 관한 연구와 그의 이름을 딴 효과에 대한 발견

1962	레프 다비도비치 란다우	응집 물질, 특히 액체 헬륨에 대한 선구적인 이론
1963	유진 폴 위그너	원자핵 및 소립자 이론에 대한 공헌, 특히 기본 대칭 원리의 발견 및 적용을 통한 공로
	마리아 괴페르트 메이어	핵 껍질 구조에 관한 발견
	한스 옌젠	
1964	니콜라이 바소프	메이저-레이저 원리에 기반한 발진기 및 증폭기의 구성으로 이어진 양자 전자 분야의 기초 작업
	알렉산드르 프로호로프	
	찰스 하드 타운스	
1965	도모나가 신이치로	소립자의 물리학에 심층적인 결과를 가져온 양자전기역학의 근본적인 연구
	줄리언 슈윙거	
	리처드 필립스 파인먼	
1966	알프레드 카스틀레르	원자에서 헤르츠 공명을 연구하기 위한 광학적 방법의 발견 및 개발
1967	한스 알브레히트 베테	핵반응 이론, 특히 별의 에너지 생산에 관한 발견에 기여
1968	루이스 월터 앨버레즈	소립자 물리학에 대한 결정적인 공헌, 특히 수소 기포 챔버 사용 기술 개발과 데이터 분석을 통해 가능해진 다수의 공명 상태 발견
1969	머리 겔만	기본 입자의 분류와 그 상호 작용에 관한 공헌 및 발견
1970	한네스 올로프 예스타 알벤	플라즈마 물리학의 다양한 부분에서 유익한 응용을 통해 자기유체역학의 기초 연구 및 발견
	루이 외젠 펠릭스 네엘	고체 물리학에서 중요한 응용을 이끈 반강자성 및 강자성에 관한 기초 연구 및 발견
1971	데니스 가보르	홀로그램 방법의 발명 및 개발
1972	존 바딘	일반적으로 BCS 이론이라고 하는 초전도 이론을 공동으로 개발한 공로
	리언 닐 쿠퍼	
	존 로버트 슈리퍼	

1973	에사키 레오나	반도체와 초전도체의 터널링 현상에 관한 실험적 발견
	이바르 예베르	
	브라이언 데이비드 조지프슨	터널 장벽을 통과하는 초전류 특성, 특히 일반적으로 조지프슨 효과로 알려진 현상에 대한 이론적 예측
1974	마틴 라일	전파 천체물리학의 선구적인 연구: 라일은 특히 개구 합성 기술의 관찰과 발명, 그리고 휴이시는 펄서 발견에 결정적인 역할을 함
	앤터니 휴이시	
1975	★오거 닐스 보어	원자핵에서 집단 운동과 입자 운동 사이의 연관성 발견과 이 연관성에 기초한 원자핵 구조 이론 개발
	벤 로위 모텔손	
	제임스 레인워터	
1976	버턴 릭터	새로운 종류의 무거운 기본 입자 발견에 대한 선구적인 작업
	새뮤얼 차오 충 팅	
1977	필립 워런 앤더슨	자기 및 무질서 시스템의 전자 구조에 대한 근본적인 이론적 조사
	네빌 프랜시스 모트	
	존 해즈브룩 밴블렉	
1978	표트르 레오니도비치 카피차	저온 물리학 분야의 기본 발명 및 발견
	아노 앨런 펜지어스	우주 마이크로파 배경 복사의 발견
	로버트 우드로 윌슨	
1979	셸던 리 글래쇼	특히 약한 중성 전류의 예측을 포함하여 기본 입자 사이의 통일된 약한 전자기 상호 작용 이론에 대한 공헌
	압두스 살람	
	스티븐 와인버그	
1980	제임스 왓슨 크로닌	중성 K 중간자의 붕괴에서 기본 대칭 원리 위반 발견
	밸 로그즈던 피치	

1981	니콜라스 블룸베르헌	레이저 분광기 개발에 기여
	아서 레너드 숄로	
	카이 만네 뵈리에 시그반	고해상도 전자 분광기 개발에 기여
1982	케네스 게디스 윌슨	상전이와 관련된 임계 현상에 대한 이론
1983	수브라마니안 찬드라세카르	별의 구조와 진화에 중요한 물리적 과정에 대한 이론적 연구
	윌리엄 앨프리드 파울러	우주의 화학 원소 형성에 중요한 핵반응에 대한 이론 및 실험적 연구
1984	카를로 루비아	약한 상호 작용의 커뮤니케이터인 필드 입자 W와 Z의 발견으로 이어진 대규모 프로젝트에 결정적인 기여
	시몬 판데르 메이르	
1985	클라우스 폰 클리칭	양자화된 홀 효과의 발견
1986	에른스트 루스카	전자 광학의 기초 작업과 최초의 전자 현미경 설계
	게르트 비니히	스캐닝 터널링 현미경 설계
	하인리히 로러	
1987	요하네스 게오르크 베드노르츠	세라믹 재료의 초전도성 발견에서 중요한 돌파구
	카를 알렉산더 뮐러	
1988	리언 레더먼	뉴트리노 빔 방법과 뮤온 중성미자 발견을 통한 경입자의 이중 구조 증명
	멜빈 슈워츠	
	잭 스타인버거	
1989	노먼 포스터 램지	분리된 진동 필드 방법의 발명과 수소 메이저 및 기타 원자시계에서의 사용
	한스 게오르크 데멜트	이온 트랩 기술 개발
	볼프강 파울	
1990	제롬 프리드먼	입자 물리학에서 쿼크 모델 개발에 매우 중요한 역할을 한 양성자 및 구속된 중성자에 대한 전자의 심층 비탄성 산란에 관한 선구적인 연구
	헨리 웨이 켄들	
	리처드 테일러	

1991	피에르질 드젠	간단한 시스템에서 질서 현상을 연구하기 위해 개발된 방법을 보다 복잡한 형태의 물질, 특히 액정과 고분자로 일반화할 수 있음을 발견
1992	조르주 샤르파크	입자 탐지기, 특히 다중 와이어 비례 챔버의 발명 및 개발
1993	러셀 헐스	새로운 유형의 펄서 발견, 중력 연구의 새로운 가능성을 연 발견
	조지프 테일러	
1994	버트럼 브록하우스	중성자 분광기 개발
	클리퍼드 셜	중성자 회절 기술 개발
1995	마틴 펄	타우 렙톤의 발견
	프레더릭 라이너스	중성미자 검출
1996	데이비드 리	헬륨-3의 초유동성 발견
	더글러스 오셔로프	
	로버트 리처드슨	
1997	스티븐 추	레이저 광으로 원자를 냉각하고 가두는 방법 개발
	클로드 코엔타누지	
	윌리엄 필립스	
1998	로버트 로플린	부분적으로 전하를 띤 새로운 형태의 양자 유체 발견
	호르스트 슈퇴르머	
	대니얼 추이	
1999	헤라르뒤스 엇호프트	물리학에서 전기약력 상호작용의 양자 구조 규명
	마르티뉘스 펠트만	
2000	조레스 알표로프	정보 통신 기술에 대한 기초 작업(고속 및 광전자 공학에 사용되는 반도체 이종 구조 개발)
	허버트 크로머	
	잭 킬비	정보 통신 기술에 대한 기초 작업(집적 회로 발명에 기여)

2001	에릭 코넬	알칼리 원자의 희석 가스에서 보스-아인슈타인 응축 달성 및 응축 특성에 대한 초기 기초 연구
	칼 위먼	
	볼프강 케테를레	
2002	레이먼드 데이비스	천체물리학, 특히 우주 중성미자 검출에 대한 선구적인 공헌
	고시바 마사토시	
	리카르도 자코니	우주 X선 소스의 발견으로 이어진 천체 물리학에 대한 선구적인 공헌
2003	알렉세이 아브리코소프	초전도체 및 초유체 이론에 대한 선구적인 공헌
	비탈리 긴즈부르크	
	앤서니 레깃	
2004	데이비드 그로스	강한 상호작용 이론에서 점근적 자유의 발견
	데이비드 폴리처	
	프랭크 윌첵	
2005	로이 글라우버	광학 일관성의 양자 이론에 기여
	존 홀	광 주파수 콤 기술을 포함한 레이저 기반 정밀 분광기 개발에 기여
	테오도어 헨슈	
2006	존 매더	우주 마이크로파 배경 복사의 흑체 형태와 이방성 발견
	조지 스무트	
2007	알베르 페르	자이언트 자기 저항의 발견
	페터 그륀베르크	
2008	난부 요이치로	아원자 물리학에서 자발적인 대칭 깨짐 메커니즘 발견
	고바야시 마코토	자연계에 적어도 세 종류의 쿼크가 존재함을 예측하는 깨진 대칭의 기원 발견
	마스카와 도시히데	
2009	찰스 가오	광 통신을 위한 섬유의 빛 전송에 관한 획기적인 업적
	윌러드 보일	영상 반도체 회로(CCD 센서)의 발명
	조지 엘우드 스미스	

2010	안드레 가임	2차원 물질 그래핀에 관한 획기적인 실험
	콘스탄틴 노보셀로프	
2011	솔 펄머터	원거리 초신성 관측을 통한 우주 가속 팽창 발견
	브라이언 슈밋	
	애덤 리스	
2012	세르주 아로슈	개별 양자 시스템의 측정 및 조작을 가능하게 하는 획기적인 실험 방법
	데이비드 와인랜드	
2013	프랑수아 앙글레르	아원자 입자의 질량 기원에 대한 이해에 기여하고 최근 CERN의 대형 하드론 충돌기에서 ATLAS 및 CMS 실험을 통해 예측된 기본 입자의 발견을 통해 확인된 메커니즘의 이론적 발견
	피터 힉스	
2014	아카사키 이사무	밝고 에너지 절약형 백색 광원을 가능하게 한 효율적인 청색 발광 다이오드의 발명
	아마노 히로시	
	나카무라 슈지	
2015	가지타 다카아키	중성미자가 질량을 가지고 있음을 보여주는 중성미자 진동 발견
	아서 맥도널드	
2016	데이비드 사울레스	위상학적 상전이와 물질의 위상학적 위상에 대한 이론적 발견
	덩컨 홀데인	
	마이클 코스털리츠	
2017	라이너 바이스	LIGO 탐지기와 중력파 관찰에 결정적인 기여
	킵 손	
	배리 배리시	
2018	아서 애슈킨	레이저 물리학 분야의 획기적인 발명(광학 핀셋과 생물학적 시스템에 대한 응용)
	제라르 무루	레이저 물리학 분야의 획기적인 발명(고강도 초단파 광 펄스 생성 방법)
	도나 스트리클런드	

2019	제임스 피블스	우주의 진화와 우주에서 지구의 위치에 대한 이해에 기여(물리 우주론의 이론적 발견)
	미셸 마요르	우주의 진화와 우주에서 지구의 위치에 대한 이해에 기여(태양형 항성 주위를 공전하는 외계 행성 발견)
	디디에 쿠엘로	
2020	로저 펜로즈	블랙홀 형성이 일반 상대성 이론의 확고한 예측이라는 발견
	라인하르트 겐첼	우리 은하의 중심에 있는 초거대 밀도 물체 발견
	앤드리아 게즈	
2021	마나베 슈쿠로	복잡한 시스템에 대한 이해에 획기적인 기여(지구 기후의 물리적 모델링, 가변성을 정량화하고 지구 온난화를 안정적으로 예측)
	클라우스 하셀만	
	조르조 파리시	복잡한 시스템에 대한 이해에 획기적인 기여(원자에서 행성 규모에 이르는 물리적 시스템의 무질서와 요동의 상호작용 발견)
2022	알랭 아스페	얽힌 광자를 사용한 실험, 벨 불평등 위반 규명 및 양자 정보 과학 개척
	존 클라우저	
	안톤 차일링거	
2023	피에르 아고스티니	물질의 전자 역학 연구를 위해 아토초(100경분의 1) 빛 펄스를 생성하는 실험 방법 고안
	페렌츠 크러우스	
	안 륄리에